女性を宇宙は最初につくった

佐治晴夫
Haruo Saji

Pax intrantibus,Salus exeuntibus

春秋社

はじめに

私たちの人生は、たとえてみれば、楽曲の構造に似ています。あるいは、楽曲の構造が、人生に似ているといった方がいいのかもしれません。毎日の天候が、照る日、曇る日、暴風もあれば、静かな雪が降りしきる夜もあるように、かたときも留まることをしないのが、私たちの人生であり、それは、一方では、ひとつのテーマから始まり、展開しながら、やがては終結へと向かう、時間の芸術としての音楽の構成を思い起こさせます。

少し、詳しくお話しするとすれば、楽曲の構造の基本は、物質の単位が分子であるように、通常、二小節からなる動機（モティーフ）と呼ばれる単位からできています。二小節であるということの意味は、おそらく、1小節目で、何かをとりあえず提示し、次の2小節目で、どの方向へ行くのか、意思決定を示さねばならないからでしょう。

　これらの動機が二つ集まり、全体で四小節になったものを小楽節といっていますが、この小楽節が二つまとまると、大楽節、これが一部形式です。さらに、大楽節が二つ集まったものを二部形式といい、三つ集まると、三部形式になりますが、その場合、中間部分に、曲のクライマックスが来るようにつくられるのが通例です。この三部形式の各部分が、さらに、二部形式や三部形式になっているものが、複合三部形式です。

　そして、究極のかたちとされているのが、「ソナタ形式」です。

この形式は、ひとことで言ってしまえば、三つの部分、すなわち、提示部、展開部、再現部からなり、提示部では、まず、最初に曲自身を印象づけるための第一主題、続いて、それをふくらませるように第二主題が出てきて、とりあえず締めくくり、つぎの展開部へと進みます。この部分では、提示部に出てきた主題を自由に展開させて、変奏、転調などを繰り返し、クライマックスに向けて上りつめたあと、ひとまず終息し、その後、すぐに、提示部に変化をつけながら、全体のまとめとしての終止へと誘うのが再現部です。

　こうして考えてみると、まるで、私たちの平均的な人生そのものの流れを写し取ったかのような構造をしています。

そこで、私の人生を例にとってみれば、東京で生まれ、第二次世界大戦の戦火を逃れて九州の田舎町に疎開し、再び、東京に戻って、あれこれ迷いながら、勉学机に向かっていたころまでが、提示部でしょう。そして、好きな音楽の道に進みたいと漠然と思ってはみたものの、結局は、数学と物理学を志し、時には、発見の喜びにひたり、その一方では、みずからの実力不足に喘《あえ》ぎながらも、未知の領域に足を踏み入れることの畏怖《いふ》にも似た魅力に引き寄せられるように研究を続けてきた時期が、展開部です。

やがて、星移り、春秋を重ねながら、気がつけば、神奈川、東京、そして宮城の三つの職場で、それぞれ定年を迎え、今、三重県で、再現部の中ほどの部分が奏《かな》でられているというのが、今日の私の姿です。

通常の楽曲では、この再現部の後半に、はなばなしいコーダと呼ばれるしめくくりの部分がありますが、私の場合は、どうでしょう。

舞台から演奏者がひとり、またひとり楽器を抱えて退場し、最後は指揮者がひとり残ってしまうという構成で有名な、ハイドンの〝さよなら交響曲〟（交響曲第四五番）のような終わりにならないとも限りませんし、あるいは、シューベルトの〝未完成交響曲〟（交響曲第七番）のように、次の楽章に入った途端に、プツンと切れてしまうかも分かりません。

しかし、私が、これまで歩んできた人生のなかで感じてきたこと、あるいは、ほんのひとこまの経験であっても、もし、それを伝えることができるあなたがいて、そのなかに、これからのあなたの人生に、少しでもお役に立ちそうなヒントがあったとしたら、それに優る幸せはありません。恐らく、私の人生は、完璧なソナタにはなれないでしょうが、小さなソナタ、つまり、ソナチネにでもなれたとしたら、これ以上の喜びはありません。

三重県の小さな大学で仕事をするようになって、かれこれ五年の歳月が過ぎ去ろうとしています。かつて、東京から東北に移り住み、そこでの生活をテーマに、毎週、読売新聞に連載していたサイエンス・エッセイが単行本になったものが、『夢みる科学』（二〇〇六年、玉川大学出版部刊）でした。

本書は、それに続く三重県版として、二〇〇五年一〇月から現在に至るまで、毎週続いている毎日新聞の連載、「佐治博士の不思議な世界」が下敷きになっています。

これらの連載のなかには、日々の公職の合間に行なってきた一般の市民の方を対象とした全国各地での講演や、小学・中学・高校などへの授業行脚《あんぎゃ》の際に、受講者のみなさんに配布する資料となるように書いたものもあり、今回、それらをまとめるということは、講演などで訪れた〝心の庭園〟ともいうべき場所に、おいてきてしまった自分を、ひろいに行く作業にも似た感慨がありました。

全体は六つの章からなっていますが、どこから読み始めていただいても構いません。

さらに、一言一句をきちんと読んでいただく必要もありません。

全体の流れのなかに、宇宙のからくりの不思議さと、それと深く関わる日常の風景がいかに調和しているのかを、少しでも感じていただければ、それで充分です。

私たちにとって、〝宇宙庭園の垣根〟をこえることは、容易なことではありませんが、そのなかにある〝秘密の花園に咲く花の香り〟は、時折、吹いてくる風に乗って、私たちのところにも来ているはずですから……。

二〇〇九年、世界天文年。

クレメンティーのソナチネ、作品36の1、
第2楽章が聴こえてきそうな春の夕べに。

女性を宇宙は最初につくった　目次

2　「時間」とは何か

3 「音」が「音楽」になるとき

4 「男」の役割、「女」の役割

5　「宇宙のなかに生きる」ということ

女性を宇宙は最初につくった

1　人はなぜ「月」を愛でるのか

★同じ月を見ながら心を通わす

もう今では、伝説のようになっている少年のころ見た情景が、そこにありました。弓形に玄界灘《げんかいなだ》を抱え込むような松林の彼方には、ピラミッドの形をした浮岳《うきたけ》。その横から突如、顔を出した月は、水面に金色の光で〝月の道〟をしつらえ、アーチ型の海岸線に打ち寄せる波頭のきらめきは、巨大な竪琴《たてごと》に張られた弦《げん》さながらで、美しい波の音を奏《かな》でていました。

場所は、東京空襲を逃れ、かつて疎開していた九州北部の港町、唐津《からつ》。福岡で、日本の笛とピアノの競演をまじえた講演を終えての帰り道、久方ぶりに立ち寄ったのでした。この光景は、ぜひとも、カメラに収めておかなくては……とあせったあまり、思わず、カメラを地面に落としてしまうという失態も演じてしまうほど、衝撃的な情景でした。

いったい、このような〝月の風景〟に動かされる人間とは、いかなる生き物なのでしょうか？

恐らく、この海水の中には、プランクトンをはじめ、砂のなかにも、たくさんの生物が生息しているはずですが、月を愛《め》でる生き物は人間だけでしょう。

人間を、他の生物と峻別《しゅんべつ》する要素の一つは、大雑把《おおざっぱ》な言い方ですが、「文化を生み出す動物」だということです。それは、生物学的遺伝、すなわち本能の域をこえ、社会的遺伝を意味するものです。その根底には、「考える」「想像する」ことができる、という特性があります。

さて、〝月の道〟で思い出すのが、

川上《かわかみ》とこの川下《かわしも》や月の友

という芭蕉の句です。

没後刊行された『続猿蓑《ぞくさるみの》』に「深川《ふかがわ》の末、五本松《ごほんまつ》といふ所に船をさして」と書かれた前書きとともに収録されています。元禄五年（一六九二）秋の、名月のころの作品だと思われますが、深川（現・江東区内）の芭蕉庵から江戸、小名木川《おなぎがわ》に船を出して詠まれた句のようです。

この句のなかで、特に私が注目したいのは、「月の友」という表現です。これは、恐らく直接には会っていない風雅の友のことで、今宵《こよい》の名月を、川上と川下という違った場所で見ているだろうという〝想像のなかで友と出会っている〟という視点です。

これこそ、同じ風物を見ながら、遠くにいる友と心を通わせることができる、人間のみがもつ特性でしょう。

ところで、海から上る月が水面に描く光の道が、どうして、見ている人の方に向かって伸びているのでしょう？

その理由は二つあって、まず、月光は、四方八方に放射されていて、しかも、月までの距離が遠く、地球で見る月光は、ほとんど平行光線になっていることと、もう一つは、光の反射の法則です。たとえば、ピンポン球を水平な台に斜め上から打ち込むと、打ち込まれたときの角度と同じ角度で、まっすぐ前方に跳《は》ね返ります。

光についても同じで、月からの光は水面で反射され、見ている人の目のところにだけ、やってくるように見えることになります。そして、平行光線であることから、見ている人の目の位置から、反射する水面までの距離には関係なく、同じ角度で反射され、月と目を結ぶ水面上のすべてのところから光が反射してやってくるように見えるので、光の道になるのです。

この反射の法則は、見方を変えれば、自然界の現象は、すべて、エネルギーをなるべく使わないようなプロセスで起こっている、と考えることもできます。

たとえば、光の反射は、反射する面に垂直な面のなかで起こりますが、これは、そのような道筋を選んだほうが、光が走る距離が少なくなりますし、また、時間もかからないからです。

透明な水のなかに真直ぐな棒を入れると、棒が曲がって見えて、浮き上がっているように感じられるのは、光が水のなかを走るスピードと、空気中を走るスピードが異なるために、水面のところで、光の進む方向を変えて、なるべく、時間がかからないような道筋を選ぶからです。「屈折」という現象です。

この状況をもう一つの例でお話しすれば、ある地点から川を挟んで、その真向いではない対岸の目的地までなるべく時間をかけないでいく、ということを考えましょう。

まず、[1] 川沿いに走って、目的地の真向いまで行き、そこから川をボートで垂直に横切っていくのが早いか。

それとも、[2] 二つの地点を結ぶ直線に沿って、ボートでまっすぐ目的地まで漕《こ》いでいくのがいいのか。

あるいは、[3] ある地点まで川沿いに走って、そこから、斜め方向に船を漕いでいく方がいいのか。

……どの方法がいいのでしょう？

その結論は、陸上を走る速さと、ボートの速さが分かれば、計算できて、［2］の方法がいちばん早いことが分かります。

つまり、この場合の道筋は、決して直線ではなく、屈折しています。これが、屈折の原理です。温泉プールに首までつかって、前方を見ると、遠く離れた位置ほど、水深が浅く浮き上がっているように見えるのは、そのためです。

また、地上で、ボールを斜めに投げたときには、必ず放物線というなだらかな曲線を描きますが、これも、投げられたときの方向や速度を条件にして、なるべく時間がかからないような道筋が放物線なのです。「時間がかからない」ということは、視点を変えれば、いちばんエネルギーを使わない道筋だということにもなります。物理の世界では、「最小作用の原理」などと呼ばれています。

いつのまにか、物理のお話になってしまいましたが、同じ月を見ながら心を通わすという詩情にも、物理法則、ひいては、宇宙のからくりが関わっていたのですね。

★月の神秘に迫る

月は、いつの時代にあっても、人類にとって、何か特別の感情を起こさせる魔力に似た力をもつ存在です。

私も幼少のころ、レンズの口径が、わずか4センチの小さな望遠鏡で初めて月を見たときの衝撃を、今でもよく覚えています。そこには、大小さまざまなクレーターがあり、その中心部から周囲に大きく放射状に山脈が走る光景など、まさに、人知をこえた全能の神の作品としかいいようのない美しさと、神秘さに満ちていて、ただただ圧倒されるばかりでした。

ところで、人類が初めて月への第一歩を印したのが、「アポロ計画」。米ソが国家の威信をかけて熾烈《しれつ》な宇宙開発競争を展開した末、一九六九年七月二〇日、ついに〈アポロ11号〉が母船となり、月面到着を果たしました。

これは、今から五二年前の一九五七年一〇月四日、当時のソ連が、世界初の人工衛星〈スプートニク1号〉を打ち上げて以来、なんとしてもソ連に先んじようとした米国の執念がもたらした結果でした。

それを機に、今まで謎であったクレーターの成因が隕石《いんせき》の衝突であるということや、かつてはマグマが存在した「熱い月」だったことなどが、はっきりしてきました。その後、太陽系のなかでも、他に類を見ない直径2500キロに及ぶ巨大なクレーター「サウスポール・エイトケン盆地」の太陽光が当たらない部分に大量の〝水の氷〟が発見され、さらに、「月の北極」にも〝水〟の存在の可能性が発見されるに至って、月面基地建設への希望が大きく前進しました。

そして、今、日本の月周回探査機〈かぐや〉が月に到達し、月の起源の解明、地球から見える面と、その裏側での地形や成分の大きな違い、わずかながら存在する大気の謎などの解明を目指しています。

それは、宇宙のなかで、どのようにして地球が生まれ、人間とはいかなる存在なのか、という究極の問いかけに答えるための有力な資料になるはずです。

★「月の出」と「星の出」

さて、月は、私たちの地球からいちばん近いところにあって、しかも、地球人が訪れたことのある唯一の天体です。

大きさは直径にして、地球のおよそ4分の1、赤道方向と極方向とでは、赤道方向が、およそ6キロメートルほど大きい楕円体《だえんけい》ですが、平均でいえば、3475キロメートルです。重さは「735」の後に、「0」を20個ほどつけたキログラムで、地球のおよそ81分の1でくらいです。したがって、重力の大きさは、地球表面の6分の1しかありませんから、月面歩行は、まるでトランポリンの上を歩くように、ふわりふわりと浮き上がるようになってしまいます。

地球からの平均距離は、およそ38万4400キロメートルで、地球の直径の30倍くらいのところを、時速3700キロメートルの速さで公転しています。重力が小さいので、大気は逃げてしまい、月面上はほとんど真空状態ですから、昼間の温度は120度、夜は氷点下150度という苛酷《かこく》な世界です。にもかかわらず、地球から見上げる月の姿は、美しく神秘的です。

太陽の光は強力で、すべて外に向かう光だという印象がありますが、月の光には、心の内側に向かうような静けさがあります。

仏教の世界では、薬師如来《やくしにょらい》は、東方浄瑠璃《じょうるり》世界の教主（西方極楽世界の教主は阿弥陀《あみだ》如来）ですが、その左に控えているのが日光菩薩《ぼさつ》、右が月光《がっこう》菩薩です。月光菩薩のからだが描くしなやかな曲線美と柔和な表情はなんとも魅惑的で、古代人の月に寄せる想いが偲《しの》ばれます。それぞれの姿かたちにも、太陽と月によせる想いの差異が出ているので、一度、ご覧になるといいですね。

ついでですが、薬師如来の周りを固めているのが、十二《じゅうに》支《し》を象《かたど》った十二神《しん》将《しょう》たちで、太陽と月のめぐりを象徴しています。

ところで、「月の出」は、毎夜、平均すると50分くらいずつ遅くなります。その理由は、地球の周りを回っている月の公転周期と関係があります。

まず、月は地球の周りを、およそ29・５日かけて一周します。公転周期は29・５日だということです。となると、一周の角度は３６０度ですから、月が、一日に地球の周りを動く角度は、「３６０度÷29・５」ですから、約12度になります。

一方、地球は一日24時間で自転していますが、もし、月と地球の位置が変わらなければ、いつも同じ時刻に月が出るはずです。ところが、月が動いているために、地球は、前の晩よりも余計に自転しないと、地球と月の位置が同じになりません。

つまり、月が一日に動く12度分、回らなければ、月が出て来ないことになります。地球は24時間で、３６０度回るのですから、12度回るためには、「24時間÷３６０×12」で、およそ０・8時間、つまり、48分くらいになります。これが、毎夜、月の出が遅くなる理由です。

それでは、ここで、「星の出」についても、お話しておきましょう。

私たちは、夜空を見上げると、季節によって、見えている星座が違っていることを知っています。しかし、地球は宇宙空間のなかにぽっかり浮いていて、自転していますから、四方の星空を周期的に見ているはずです。ところが、季節によって、星の出が少しずつずれているために、その時期に見える星空が違ってきます。

それは、地球に「昼・夜」をもたらすのは、太陽に対して、地球が自転していることが原因ですが、その地球は、さらに、太陽の周りを公転しているために、先ほどの地球と月との関係のように、地球と太陽との相対的な位置が時々刻々と変わり、そのために、地上で夜になる時刻が一回転以上の自転をしないとやって来ない、というのが原因です。

簡単な計算で、確かめてみましょう。

まず、地球は一年、すなわち三六五日の間に太陽の周りを一周します。つまり３６０度動きます。ということは、およそ、一日には1度動くことになります。そうなると、太陽に対しての地球の位置は、３６０度回っただけではたりなくて、３６１度回ると、ちょうど、一日前の太陽の位置と同じになります。

そこで、地球から遠くの「星の出」を見ると、毎日、１度だけ余分に回らなければ、出て来ないように見えますが、地球は24時間で一周り、３６０度回るわけですから、１度回るには、「24時間（＝１４４０分）÷３６０」で、およそ４分ということになります。このようにして、毎日、星は４分ずつ早く出て、４分早く沈むことになります。これが、毎日、同じ時刻に見上げる星座の位置が違っている理由です。

そこで、「星の出」と「月の出」を比較してみると、星は毎日４分早く、月は50分くらい遅く出ますから、星と月の相対的位置はずれてきます。

実は、そのことから、七夕《たなばた》伝説を読み解くことができます。

月の満ち欠けを基準にした暦《こよみ》を旧暦といいますが、七夕は、旧暦の七月七日です。ということは、月齢７日の半月が出ています。しかも、「星の出」と「月の出」が、毎日ずれていきますから、月が星空のなかを動いていくように見えるわけで、そのことから、彦星《ひこぼし》を、舟のかたちをした半月がのせて、あたかも織姫星《おりひめぼし》のところに連れていくかのようにも見えるわけです。

まさに七夕伝説が、実際の天空で見えているということですね。その情景は、『万葉集』巻七・雑歌のなかでは（柿本人《かきのもとのひと》麻呂《まろ》歌集）、

　天《あめ》の海に雲の波立ち月の船　星の林にこぎ隠《かく》る見ゆ

と詠《うた》われ、一方、同じく『万葉集』巻十には、「よみ人知らず」の歌として、

　この夕《ゆうべ》降りくる雨は彦星の　早漕《はやこ》ぐ船の櫂《かい》の散りかも

という作品が登場します。

七夕の日にあいにく雨が降ったとしても、悲しむことはない、それは、彦星さんが、急いで漕ぐあまり、その櫂から飛び散った水しぶきなのだから……という意味で、そこには、いかにも万葉びとらしいおおらかさがありますね。

というわけで、一年に一度、旧暦の七夕の夜、みなさんも空を見上げて、櫂の音に耳をすましてみてはいかがでしょう。

★月の呼び名と心の機微

その一方で、月が地球の周りを公転しているということは、地球から見上げたとき、月と太陽との位置関係がずれていく、ということです。

地球が太陽を背にしているときには、太陽光を一面に浴びた月が見えるわけですから、満月です。言葉をかえれば、「太陽、地球、月が一直線に並んでいる」ときが、満月です。しかし、実際には、太陽の周りを地球が回っている面と、月が回っている面は、少しずれていますから、地球から見て、月と太陽が重なることは、いつもは起こりません。たまたま重なると地球の影が月を覆うことになり、月食《げっしょく》になります。

その反対に、「地球、月、太陽が一直線になり、地球から見て、月が太陽の方向にある」ときには、私たちは〝月の夜〟を見ていることになりますから、真っ暗で見えません。これが、新月《しんげつ》です。

しかし、普通、私たちが「新月」と呼んでいるのは、このような天文学的な「新月」ではなく、鎌のような細い月のことを、生まれたばかりの月という意味で、「新月」と呼んでいるようです。厳密な「新月」は、地球にとっては、昼間になりますから、いずれにしても見えません。

細い月が、太陽が沈んだ後の夕空に、太陽を追うように見えるのは、月の位置が、少しだけ太陽からずれたために、太陽光があたっている部分だけが、地球から見て、細い弓のように見えているというわけです。

いいかえれば、月は、太陽から一日に12度ずつ離れていき、その分、地球から見ると、太陽光を受ける部分が変化するので、月の満ち欠けになり、そして、29・5日周期で繰り返えされることになります。

月と暦については、改めて後でお話ししますが、ここでは、月のかたちの呼び名ついて、ご紹介しておきましょう。

一般的には、新月を「朔《さく》」、満月を「望《ぼう》」と呼びますが、「朔」は、「ついたち（一日）」という意味で、「月が立つ」が、語源のようです。そして、二日月、細い月が夕空にかかっているのは素敵ですね。三日目の月が「三日月」、月は半円形になると、「上弦《じょうげん》（弓《ゆみ》張《はり》）」。十三日夜の月が「十三夜」。十四日夜の月が「宵待《よいまち》」、続いて「十五夜《じゅうごや》（満月）」、「十六夜《いざよい》」。十七日夜の月が「立待《たちまち》」、十八日夜が「居待《いまち》」、十九日夜が「寝待《ねまち》」。そして、二十日月は「更待《ふけまち》」、また半円形になって、「下弦（弓張）」。その後は「二十三夜」、「二十六夜」などと呼んでいます。

そのように、月齢が進むと、さらに細くなっていきますが、それを「晦日《つごもり》」、あるいは「三十日《みそか》」、といって、月が隠れることを意味しています。風雅な命名ですね。

ここで、「寝待月《ねまちづき》」は21時ころに上ることになりますから、昔の人は、早く寝ていたことが分かります。また、十六夜を「いざよい」というのは、「いざよう」、つまり「ためらう」の意味で、満月の翌日は、月の出が50分くらい遅くなるので、月が出るのを、ためらっていると表現したのでしょう。さらに、十六夜以降の月は夜明けになっても残っていることから、「有明《ありあけ》の月」とも呼ばれています。

そういえば、『源氏物語』の「浮舟《ふきふね》」には、次のようなくだりがあります。

「暮れて月いと明《あか》し。有明の空を思ひ出《い》づる涙のいとどとめがたきは、いとけしからぬ心かなと思ふ……」

恐らくこれは、満月近くの夕方、明るく昇ってきた月を見て、かつて、愛《いと》しい人と夜明けまで見ていた月を思い出してふと涙した……ということなのでしょう。

また、同じく『源氏物語』の「総角《あげまき》」では、

「二十八日の彼岸《ひがん》のはてにて、よき日なりければ、人知れず心づかひして、いみじく忍びて率《ゐ》てたてまつる……」

とありますが、この「二十八日」は、夜明け前に細い月が出てくるだけですから、人目を忍んで、事を成すには、絶好の時期だったのでしょう（以上、引用は、小学館刊『新編日本古典文学全集』による）。

また、良寛《りょうかん》（一七五八〜一八三一）は、弟子の貞心尼《ていしんに》と、歌に託して心の機微を取り交わしていたことは有名な話ですが、同じく歌の友、定珍《さだよし》（ていちん）に贈ったなかに、こんな歌がありました。

　月よみの光をまちて帰りませ　山路《やまじ》は栗のいがの落《お》つれば

敬愛する良寛との話に夢中になって、ふと気づいたら夕闇が迫っていたのでしょう。「そろそろお暇《いとま》を……」と立ち上がろうとしたときに、良寛が、なんとも風雅な引きとめの気持ちを歌に託したものです。

考えてみると、日本の文学や詩歌と、月との関わりが、とても深いことがうかがわれますね。

★月がなければ音楽はなかった

このように、古くから変わらぬ光を投げかけてきた月も、実は、毎年、3センチ（！）ずつ、地球から離れています。潮汐《ちょうせき》が、地球の自転速度にブレーキをかけているのが原因です。すなわち、海水が動かされることによって海水と海岸、あるいは海底との間に生じる摩擦によって、地球の自転エネルギーが減りますが、その分、月の公転エネルギーが大きくなって、バランスを保とうとするために、遠ざかるというわけです。

走っている物体は、止まりたがらず、止まっている物体は動きたがらないという「ニュートンの運動の第一法則」からも分かるように、自然は、いつまでも、同じエネルギー状態でいたいという本性をもっているのです。

そこで話を前に戻して、地球の現在の自転速度では一日の長さは24時間ですが、月が生まれる前は8時間だったと推定されていて、4億年前は19時間だったことが化石の研究から分かっています。そして10億年後には31時間になり、やがて地球の自転は停止します。

先ほどの繰り返しになりますが、地球と月との間に働く引力が、地球の自転にブレーキをかけているということですね。そうなると、交互に訪れるはずの昼夜もなくなり、大変なことになります。また、生まれたばかりの月は、地球の引力に引っ張られて、卵形をしていたと思われます。それが、遠ざかるにつれて、球体になったと考えられています。

ところで、もし、月がなかったら、音楽というものも存在しなかったかもしれません。

なぜなら、月がなくて、地球の一日が8時間、すなわち、自転速度が今の3倍だったとすれば、毎日、ハリケーンをはるかにこえる風が吹きまくっていたことでしょう。海は大荒れ、岸壁は削られ、砂をおろか、小石までもが飛び交《か》い、私たちの肌や皮膚も、今、もっているようなやわらかいものではなく、からだ全体は、亀の甲のような堅いもので覆われていたことでしょう。しかも、暴風のような音の嵐のなかにいるわけですから、とても、音楽などいう芸術は育たなかったに違いありません。

今、私たちが音楽を手にしているのは、まさに、月があるということのおかげなのです。

ここで、ついでにお話ししておくと、地球に四季があるのは、かつての地球への天体衝突で、地球の自転軸が傾いているためですが、この傾きを安定させているのも、月からの引力です。それがなければ自転軸はぐらぐら変化して、規則正しい季節の変化はあり得なかったでしょう。

そう考えると、変転する宇宙の歴史のなかで、私たちは、いちばんいい時期に生きているのかもしれません。

★天体衝突の驚異

みなさんは、望遠鏡で「月の素顔」をご覧になったことがおありでしょうか？

小さな双眼鏡でも、たくさんの「クレーター」が確認できますが、ある程度の大きさの望遠鏡に「ムーングラス」をつけて、月の明るさを減光して眺める月面の情景は、想像をこえる神秘的な造形美そのものです。

「クレーター」とは、ギリシャ語でコップや茶碗を表す言葉ですが、その言葉どおり噴火口のようにへこんだ形が月面を覆っています。地上から観測できるものは、直径１００メートル程度のものから、２５００キロメートルの巨大クレーターまであって、その深さも１キロメートルから十数キロメートル、富士山の高さ四つ分が入ってしまうほど深いものもあります。

さて、その成因についてですが、最も有名な火山の噴火説を最初に唱えたのは、天王星《てんのうせい》の発見者としても、パイプオルガン奏者としても有名だったイギリスの天文学者ハーシェル（一七三八〜一八二二）でした。一七八七年のことです。

この説は、地球の火山を手本にしたものでしたが、直径１００キロメートルをこえるような大きさを説明できず、それにとって代わったのが、一八二四年に、ドイツの天文学者グルイトイゼンによって唱えられた隕石などの天体衝突説でした。

そして、20世紀に入ると、アメリカの天文学者シューメーカー（一九二八〜一九七七）によって、アリゾナ州にある直径１・３キロメートルのメテオールクレーターが、秒速15キロメートルで激突した直径わずか30メートルの隕石の仕業《しわざ》であることが検証され、そのことから、月面のクレーターも隕石などの衝突によってつくられたものだと考えられるようになりました。そして、ライフル銃の弾丸の速さに匹敵するほどの速い速度で天体が激突すると、その大きさの数十倍のクレーターができることも分かりました。

また、古い年代ほど、たくさんの小天体が激突していたでしょうから、クレーターの大きさの分布の様子と、〈アポロ〉が6回、月面着陸して採取した岩石の年代分析を照合することによって、月面地層の歴史が明確になり、その結果、地球ができたてのころ、火星サイズの天体が地球に斜めに激突し、その破片が地球の周りに飛び散ってできたリングが、再び集まって、わずか1ヶ月で月ができたことが明らかになりました。「ジャイアントインパクト説」として、現在、最も信頼できる月誕生のシナリオです。

このような天体衝突は、地球でも起こっていて、ユカタン半島近くに直径２００キロメートル、深さ1キロメートルのクレーターが残っています。今から６５００万年前に恐竜の絶滅を引き起こした直径10キロメートル級の小惑星の衝突痕です。

私たちの地球は、このような天体衝突の威嚇《いかく》のなかに存在しています。実は日本にも、このような天体を監視する施設として、スペースガードセンターという組織（運営はNPO法人日本スペースガード協会）があります。岡山県の上齋原村《かみさいばらそん》（現・苫田郡鏡野町）のセンター（ＫＳＧＣ）では、超高感度レーダーが設置され、昼夜を分かたず観測を続けていますし、同じく岡山県の美星町《びせいちょう》（現・井原市）には、口径1メートルの大型望遠鏡と、高速で接近する物体を追尾するための望遠鏡が2基、毎夜、夜空に目を凝らしています。

しかし、地球に激突する三年前までに発見しておかないと、激突の回避は無理だということが分かっています。それは、何らかの方法で、接近してくる天体の速度を、ほんのわずか、たとえば、秒速数センチ（時速0・2キロメートルほどです！）でも変えられれば、地球に衝突しない軌道に変えることができるのですが、衝突前三年以内になってしまうと、天体の軌道を変えることが極めて難しくなるからです。


ここで、衝撃的な話題を一つ、紹介しておきましょう。

実は、「アポフィス」と呼ばれている小惑星が、二〇三六年四月一三日に、地球と衝突する（?）可能性があるという話です。小惑星というのは、火星と木星の間にたくさん存在している小さな星たちで、地上からの観測で、現在数千個が見つかっています。

さて、この小惑星は、衝突予定年の七年前に地球からわずか3万キロの地点まで接近しますが、そのときに受ける地球からの重力の影響で軌道がどう変わるかが衝突の可能性を判断する決め手になり、現時点では、はっきり断定はできません。

ただ、もし起こるとすれば、カムチャツカ半島から北海道、メキシコ沿岸の間に落ちる可能性があり、そうなると、落下後5時間で、高さ数十メートルの津波が日本の太平洋沿岸に押し寄せることになります。しかし、この予測は、地上からの望遠鏡とレーダーによる観測を基《もと》にしていますから、かなり曖昧《あいまい》です。そこで、小惑星に近づき、レーザーを照射しながら、その動きを正確に把握するために、観測用の宇宙船をつくって飛ばそうという話が米国の議会で話題になっているようです。

この人類始まって以来の壮大で、しかも深刻なプロジェクトに国の政治が介入するきっかけをつくったのが、小惑星の地球激突をテーマにしたハリウッド映画だったというのが面白いですね。最先端の話題を、科学的根拠を元にして映画にしてしまう米国はすごい国です。となると、映画「E・T・」や「未知との遭遇」などが、まだ見ぬ地球外生命の存在という意味で、現実味を帯びてきますね。

それらの威嚇が半ば現実になったというニュースが、二〇〇八年一〇月七日に、世界の天文台を駆け巡りました。「２００８ＴＣ３」と名づけられた小惑星天体が、地球と衝突するというのです。

衝突予想地域はスーダン、現地時刻で七日、午前5時46分だと報じられました。この天体は、六日、日本時間では15時40分ころにアメリカのレモン山（アリゾナ州）にある望遠鏡によってとらえられました。このときの地球からの距離はおよそ50万キロメートル、地球から月までの距離のおよそ1・5倍です。その明るさから、大きさは2～3メートル級の天体だということが分かりました。

すぐに、オーストラリアの天文台で観測が行なわれ、地球との衝突確率が99・8％から１００％という結果が出されましたが、天体の大きさから見て、恐らく大気圏突入時に、分解して超弩級《ちょうどきゅう》の火の玉になるだろうとの予想から、落下予想地点への避難勧告はされませんでした。

大気圏突入時刻は、日本時間で午前11時45分28秒、衝突速度は秒速12・8キロメートル（時速４６０００キロメートル）、衝突角は地平線から19度である、と予想されました。そして、結果は、ほとんど予想通りに大気圏に突入し、その様子は、オランダ航空のパイロットによって、すさまじい閃光《せんこう》が目撃され、ケニアの観測所が、大気圏との衝突音を観測、気象衛星メテオサット8が、その映像を記録していました。ＴＮＴ火薬に換算すると、およそ２０００トン程度が爆発したくらいの衝撃だったようです。

今回は、発見されてから、衝突まで20時間程度でしたが、この天体が、もう少し大きいものであったら、地上への被害はかなり拡大したはずです。

もし、直径がキロメーター級の天体だったら、まさに映画の場面以上の状況が起こったでしょう。地球人もそろそろ戦いを止めて、いつかは、確実に訪れるであろう天体衝突による人類存亡の危機と、まじめに向き合ってみてはどうでしょう。

それにしても、50万キロメートルも離れたところから接近してくる2メートルくらいの天体を発見し、しかも、衝突予想も完璧だったというのですから、すごいですね。

このように、地球への侵入者については、観測体制がしっかり敷かれているのですから、どうぞ、ＵＦＯや、宇宙人来訪などといった怪しい話には、振り回されないようにしてください。

★明暗もたらす地球への衝突

そのほかにも、ここ数年、星空での新しい発見が続いています。

月探査機〈かぐや〉が撮影した感動的な「地球の出」の映像をはじめとして、土星の衛星タイタンの極地付近にある、大小４００をこえる湖にメタンの雨を降らせている雲の発見、同じく、土星の衛星エンケラドスでは、氷の細かい粒が噴出しているジェットが見つかり、この噴出口の下には、液体の水があるらしいことが分かってきました。

また、ほとんど名前も知られていなかった彗星《すいせい》が突如、肉眼で見えるまでに明るくなりました。二〇〇七年一〇月二四日、ホームズ彗星の大バーストという現象です。

この日を境にして、40万倍の明るさに増光した後、大きく二重の円盤のように広がっていきましたが、写真に撮ってみると、「イオンテール」と呼ばれる彗星特有の尾が数本のびていて、まるで天空を泳ぐ巨大なタコの怪物を思わせる姿になっていました。尾はありませんが、双眼鏡か小望遠鏡で見ると、まるで蚕《かいこ》の繭《まゆ》のように、青白い二重の円盤が夢のように輝いているのが確認されました。

さて、この世にも恐ろしい天体衝突は、一方では、人類の誕生や文明の発達に欠かせない出来事でもありました。つまり、命の基《もと》となる物質や水を運んできたのは、間違いなく、地球に衝突してくる星たちだったからです。

彗星や小惑星は、私たちの地球に衝突することによって水と命の材料をもたらした宇宙からの使者、いいかえれば、命のふるさとです。人類の命を抹消するのも、あるいは、命をもたらすのも、天体衝突だったということは、驚くべき宇宙の公平さです。

みなさんも、ぜひ、今夜の空を見上げてください。宇宙の気まぐれは、宇宙や私たちを知る上での貴重な〝学びの場〟なのです。

★月の満ち欠けは命の連鎖

それにしても、天体というまるい球体がぽっかり空中に浮いているのは、不思議ですね。その神秘的な事実を実感できるのが、皆既《かいき》月食です。先ほどもお話ししましたが、太陽が地球の真後ろに来ると、前方に地球の影ができて、そのなかに月がすっぽり入るのが、皆既月食です。つまり、月食は、満月のときに起こります。

その場合には、地球の周りを回りこんでくる淡い太陽光に月が照らされるので、夕焼けの原理で、赤っぽく見えて、球体の立体感が出ますから、まるで、大きなボールがぽっかり浮いているような神秘的な光景が見られるのです。

さて、古くから皆に親しまれてきた月ですが、日本では、月にウサギがいて、餅《もち》つきをしているという伝説があり、それが、中国では不老長寿の薬をつくっている情景であるともいわれています。その一方で、月には女神や、〝かぐや〟のようなお姫さまが住んでいると考えられてきました。

欧米の言語には、名詞そのものに、男性、中性、女性などといった「性」があり、月は、ほとんどが女性名詞です。フランス語では、〝(la) lune〟で、イタリア語・スペイン語の〝luna〟、ポルトガル語の〝lua〟など、いずれも「月」は女性名詞です。

ところが、ドイツ語では、「太陽」は〝(die) Sonne〟で、女性名詞、「月」は〝(der) Mond〟で、男性名詞です。ヨーロッパの主要言語で「月＝男性名詞」としているのはドイツ語だけで、その他の言語では、たとえば、フランス語では〝(le) soleil〟のように、「太陽」が男性名詞になっています。

その理由は定かではありませんが、ドイツの冬は厳しく、冬の月は、まるで凍りついていますから、そこからの連想なのか、あるいは、ある日突然、つぼみがほころび、いっせいに花が咲き出すドイツの春のイメージから、太陽を女性名詞にしたせいなのか、謎のままです。

一方、日本神話では、太陽神アマテラスは女神で、月の神はツクヨミ（月読）で男神です。専門的なことは分かりませんが、月は、新月から満月を経て、再び新月に戻るというサイクルから「再生」と関わりがあり、命の連鎖という立場から考えれば、女性の出産とも無関係ではありませんから、やはり、月は女性だという方がしっくりきますね。

さらに、月でウサギが搗《つ》いているというお餅も、ふわふわしてやわらかく、お米から新しくでき上がるという意味で、女性的なニュアンスがあります。その一方、月見だんごといっしょにお供えするススキは、細くて凛《りん》としてのびている様相が男性的です。

しかし、女性としての月には、何かしら、魔力を秘めた妖《あや》しい雰囲気もあります。特に、ヨーロッパの文学などに登場する月のイメージは、日本とは違って、人を狂気に導いたり、人の生死を支配するといったような怖い一面も、もっています。日本における月がやさしいイメージなのは、恐らく、気候温暖な農耕社会であったために、月を愛でるという気持ちが強く芽生えていたからでしょう。

以下に、その比較のために、フランスの詩人、ボードレール（一八二一〜一八六七）が著した『パリの憂愁（憂鬱）』という詩集のなかから、「月の恵み」と題された作品を紹介しておきましょう。あどけない幼女に対して月が語りかける優美で、しかも官能的な場面が、ヨーロッパ独特の月のイメージを浮き立たせています。それは、オーストリアの作曲家、シェーンベルクの名作「月に憑《つ》かれたピエロ」の、妖しくも美しい旋律とも共通する雰囲気をかもし出しています。

気紛れそのものとも言える「月」が、お前が揺籠《ゆりかご》で眠っていた間に、窓の中を覗き込んで、こう独り言を言った。『この女の子は私の気に入ったわ。』

そこで彼女は、ふわふわと雲の梯子《はしご》を下りて来て、音も立てずに硝子窓越しに中へはいった。それから、母親らしいしなやかな愛情を籠めてお前の上に身を横たえ、お前の顔の上に彼女の色を染めつけた。そのためにお前の瞳は緑色にいつも光るのだし、お前の頬は異様なほど青白いのだ。この訪問客を見詰めたので、お前の両の目は不思議なくらい大きいのだ。そして彼女はお前をやさしく胸に抱きしめたので、お前は泣き出したいような気持を、それからいつまでも拭い去ることが出来ないでいるのだ。

そして、その間、「月」は悦びに溢れて、燐光を帯びた大気のように、光り輝く毒のように、部屋の中をいっぱいに充した。この生き生きした光線は、すべてこう考え、こう語っていた。『お前は永久に私のくちづけの影響を受けるでしょう。お前は私のように美しくなるでしょう。お前は私の愛するものを愛し、また私を愛するものをも愛するでしょう、水とか、雲とか、静寂《しじま》とか、夜とか、緑色の涯《はてし》ない海とか、形がなく、またさまざまの形を持つ水とか、お前が行かないだろう場所とか、お前が識らないだろう恋人とか、怪物のような花々とか、人を恍惚とさせる香料とか、ピアノの上で、うっとりしたまま、嗄れた優しい声で女のように呻く猫だとかを！

『そしてお前は、私を愛する男たちによって愛され、私にかしずく男たちによってかしずかれるでしょう。お前は緑色の瞳をした男たちの女王となるでしょう。いずれも私が、夜の愛撫の中でその胸を抱きしめた人たちです。いずれも海を、涯ない、荒れ狂う、緑色の海を愛し、形がなく、またさまざまの形を持つ水を愛し、行かない場所を愛し、識らない女を愛し、未知の宗教の香炉にも似た不吉な花々を愛し、意志を搔き乱す香料を愛し、また彼等の狂気のしるしでもある野性の、柔媚な獣《けだもの》を愛する人たちです。』

さて、そのためである、私の親しい、呪われた甘えっ子よ。私が今お前の足許にひれ伏して、怖るべき「神」の、宿命を予言する代母の、またすべて月に憑かれた者たちを毒害する乳母の、その親しい面影を、お前の全身の裡に探し求めてやまないのは、実にそのためである。

（福永武彦訳『パリの憂愁』岩波文庫より。傍点は同書のまま）

詩人の想像力というのは、ほんとうにすごいものですね。

そういえば、名月を詠んだ蕪村の句に、

月今宵《こよい》あるじの翁《おきな》舞ひ出《い》でよ

という作品があります。

能舞台を想像させる情景ですが、いかにも絵画的、空間的であり、先ほどのボードレールに匹敵する秀作です。これは、蕪村は絵画についても造詣《ぞうけい》が深く、自身が画家としても活躍していたからでしょう。

これに対して、芭蕉は、

名月や門《かど》にさしくる潮《しお》がしら

と、詠みました。

ひたひたと押し寄せる満ち潮に、宇宙の時間を感じているかのようです。

蕪村が空間的広がりを目指していたことに対して、芭蕉は、時間の深まりのなかに世界を見ていたのでしょう。

横に広がる空間的世界に対して、垂直に交わる時間的深まりという表現をとると、いかにも、物理学における相対性理論の世界を彷彿《ほうふつ》とさせるものがあります。

さて、この章をまとめるにあたって、満年齢と「数《かぞ》え年《どし》」について、少し触れておきましょう。第二次世界大戦が終わるころまでは、日本では、お正月がくるたびに年を重ねる「数え年」が一般的でした。

ところが、今では、すべてが満年齢。しかし、よく考えてみると、満年齢というのは、今まで実質的に生きてきた経過年齢のことであり、生物学的な意味はあっても、未来への夢がまったく感じられません。一方、「数え年」は、お正月を境にして、日本全国の人が一斉に年を重ねるわけですから、すべての人たちが、一緒になって、豊かな未来に向かって新たな気分で船出しようという気持ちが表れています。

未来に希望がもてなくなっている人がたくさんいるという現代、一度、「数え年」にしてみたらいかがでしょう。

2　「時間」とは何か

★「今日の終わり」はいつか

私たちが、夜、安心して眠りにつくことができるのは、無意識のうちに、明日になっても今日の私であり続けられることは当然のことだ、と感じているからでしょう。

しかし、細胞レベルで考えれば、胃液は一週間で全く新しい物に入れ替わりますし、さらに、もっと小さな原子分子レベルで見れば、目まぐるしい生成消滅が繰り返されているのですから、同じ自分のまま留まっているわけではありません。

にもかかわらず、いつも同じ自分であり続けられるという感覚がもてるのは、恐らく、脳のなかには、「過去の出来事として記憶されている部分」があり、一方では、「いまだ記憶には至らない未来」という区別があるからでしょう。となると、ぐっすり眠っている間に脳が感じている時間とは何なのか、そして、翌朝、目覚めたときに、それを翌日だと認識する脳も不思議ですね。

ところで、今日が終わると明日になるわけですが、明日の始まりは「午前0時0分0秒」ですね。それでは、その瞬間の少し前に「今日の終わり」があるのかといえば、「午後11時59分59秒9999……」のように、いくつ9を連ねてみても、明日の「0時0分0

秒」にはなりません。そういった意味合いからすれば、「今日の終わり」は存在しないということになってしまいます。

実は、この事実こそが、時間の連続性なのです。この当たり前（?）のことに、初めて気づいたのが、ドイツの数学者、デデキント（一八三一～一九一六）で、一八五八年一一月二四日のことでした。実数の連続性の発見です。

さて、ここで、時間の流れを一本の直線で表すことにして、その直線上に、今日の最後の58秒、59秒、そして明日の始まりの0秒というように、1秒ごとに点を打っていったとします。

すると、59と次の0との間には、59・1、59・9、59・99、59・999……というように無限個の点がひしめいていますが、いつまでたっても、次の0の位置との間には隙間《すきま》ができて0には到達できません。これは、ある瞬間と、それに隣り合う連続した次の瞬間というものが存在しないことを意味します。時間の瞬間区分をしようとすれば、それぞれの瞬間と瞬間の間に隙間を生み、不連続になってしまうということなのです。

つまり、時間が連続して流れているのであれば、「明日の始まり」はあっても、「今日の終わり」は存在しないということになります。これは、時間というものが、究極の単位としての〝瞬間〟からできているのではない、ということを示しています。どうやら、私たちが感じている〝瞬間〟とは、数学的な点ではなく、ねばーっとした、ある広がりをもつ時間の領域だということになりますね。

素粒子論での空間領域の単位としての「素領域」という呼び方にならえば、「素時間」とでも言いたいような世界です。しかし、そのような言い方をしてみても、何かすっきりしません。そんなときに、饒舌《じょうぜつ》に語り始めるのが、数学という言葉です。

やさしい例で、考えてみましょう。

先ほどの話では、「59・9999……」のように、いくら「9」をつけていっても、次の「60」には至らないというのが、今回の議論でした。

この議論を少し分かりやすくするために「0・9999……」のように「9」を限りなく書き続けていくと、最後には、正真正銘の「1」になるのか、ということを考えてみましょう。

あるいは、「$1 \div 3 = \frac{1}{3}$」ですが、これを「$0 \cdot 3333 \cdots\cdots = \frac{1}{3}$」のように書き換えて、両辺を3倍すると、「$0 \cdot 9999 \cdots\cdots = 1$」になりますが、この演算が正しいか否かという点について考えてみましょう。

まず、「X＝0・9999……」とおいてみましょう。これを［式1］とします。次に「X」を10倍します。「10X＝9・999……」、これを［式2］であるとします。

ここで、［式2］から［式1］を引き算しましょう。すなわち、

$$\begin{array}{rl} 10X=9.999\cdots & [\text{式}2] \\ -)\quad X=0.9999\cdots & [\text{式}1] \\ \hline 9X=9 & \end{array}$$

これを解くと、「X＝1」という答えになりますね。不思議ですね。

最初に「X＝0・9999……」とおいたのに、出てきた結論は「X＝1」になっています。これは、「0・9999……」と9が限りなく続いていくと、いつのまにか（!?）「1」になっているということを示しています。

あるいは、こんなふうに考えてもいいですね。

今、長さが「1」であるような線分を書いて、それを9等分して、それぞれの等分した

位置に点を打っていきましょう。たとえば、左から、「$\frac{1}{9}$、$\frac{2}{9}$、……」と続き、最後は「……$\frac{8}{9}$」、そして線分の端は「$\frac{9}{9}$」です。

ところが、「$\frac{1}{9}$＝0・1111……」、「$\frac{2}{9}$＝0・2222……」ですから、同様に、「$\frac{8}{9}$＝0・8888……」です。となると、その次の「$\frac{9}{9}$」すなわち「1」は、これまでの流れを受け継ぐならば、「0・9999……」になりますね。いずれも、「0・9999……」のように、「9」が限りなく続くとすれば、それは「1」だ、ということになります。つまり、「9が続けば、いつのまにか1になっている」のです。

これで、なんとなく、昨日と今日はつながりましたね。

ここでまとめていえば、終わりのない「今日」から「明日」への曲がり角をつなぐものが、数学的には連続した時間の流れであり、その一方では、寝ている間に、いつのまにか、明日になってしまう私たちの日常時間をつくってくれるのが、睡眠なのです。翌朝近くまで起きて仕事をした後、少し仮眠して目覚めたときに、はじめて、その翌日になった気分になるのも、そういうことなのでしょう。

明日とは「明るい日」と書きます。それは、明日という日は、希望に輝いた日であってほしいという人間の願いなのかもしれません。

★すべては太陽から

時間とは何か、誰でもが知っている自明のことだと思われているにしては、いざ、聞かれてみると、答えに窮します。

四世紀から五世紀にかけて生きた偉大なキリスト教神学者のＡ・アウグスティヌスが『告白』という著作の第十一巻第十四章で述べている、時間の不思議さです。

改めて書けば、

「時間とは何でしょうか、だれも私にたずねないとき、私は知っています。たずねられて説明しようと思うと、知らないのです。」

（山田晶訳『世界の名著』中央公論社刊より）

そこで、まず、時間という概念が、どのようなところから芽生えてきたのかについて、考えてみましょう。たとえば街角や野原に出て、ある瞬間の情景を心に留めて、目をつぶってみましょう。

……しばらくして目を開けると、何かが変わっています。

世の中は、かたときも留まることをせず、変化しています。

古代ギリシャ時代の哲学者、ヘラクレイトスは、「万物流転《ばんぶつるてん》(panta rhei)」といい、日本の『平家物語』の冒頭の部分も、「祇園精舎《ぎおんしょうじゃ》の鐘の音、諸行無常《しょぎょうむじょう》の響きあり……」で、始まっています。また、一三世紀に活躍した鴨 長明《かものちょうめい》は、『方丈記』のなかで、「行く川の流れは絶えずして、しかももとの水にあらず……」と記し、時々刻々と変化する無常のなかに、どう人生を見据《みす》えていくか、流麗な和漢混交文《わかんこんこう》で書き綴っています。

人類の進化のなかで、周りの変化を書き留める指標として、最初に気づいたのは、天体の動きだったのではないでしょうか。日は昇り、そして沈み、それを、３６５回繰り返すと、再び、同じような季節と星空が現れるというような、気づきです。

そこには、変わらぬ周期のようなものがあり、それを基準にして、日常生活のなかでの変化を整えていきたいと思ったのが、時間認識の始まりだったかもしれません。

まず、いちばん身近なところでは、一日の長さでしょう。「一日の長さ」とは、ある地点で太陽が真南にきた時刻から、翌日、再び真南にくるまでに経過した何か、つまり時間の間隔から決めることになっています。この太陽のめぐりは、地球の自転によるものですが、これは、地球が一回転する時間ではありません。

前の章でもお話をしましたが、地球は、太陽の周りを、およそ三六五日かけて動いていますから、昨日の位置と今日の位置では1度だけ余分に回らないと、太陽が真南に来ないというわけです。

つまり、「地球の一日」とは、地球が「３６０度自転する時間」ではなくて、「３６1度自転する時間」であり、これを1平均太陽日と呼んでいます。

このことが原因で、一日につき、星の出る時刻が4分だけ早まることは、前の章でお話ししたとおりです。それは、星は太陽に比べて、とても遠くにありますから、地球は1度余分に自転することによって、地球から見える星の見かけの位置がずれることを意味しています。具体的にいえば、南の空にある特定の星を、同じ時刻に見ると、一日に1度ずつ、西にずれているように見える、ということです。

さて、考えてみると、私たちの地球は、太陽の引力に引っ張られながら、真っ暗な宇宙空間のなかを、ただ、ひたすら、太陽の周りを回っています。大きい丸い球体の地球が、ぎらぎら輝く光の球の周りを、みずからも自転しながら、毎秒30キロメートル、つまり、時速10万８０００キロメートルというものすごいスピードで走っている光景を、想像できますか？　……考えてみれば、何か怖ろしい情景です。永遠のなかに沈みこんでいくような、孤独な地球の姿です。
少し余談になりますが、この回転運動というのは、ある見方からすれば、永遠に続く落下運動である、ともいえます。太陽の周りを動く地球は、太陽の引力に引っ張られながら、永遠に太陽に向かって落ちて落ちて、落ち続けているということです。
ふと、ドイツの詩人、リルケ（一八七五〜一九二六）の、「秋（Herbst）」という詩を思い出します。

葉が落ちる。どこか遠いところから落ちてくる、
空の奥はるかの園が枯れおとろえているように、
拒むかのように身を振りながら落ちてくる。

そして夜ごと重い大地は沈んでゆく、
星たちのあいだから孤独の深みに落ちてゆく。

私たちすべてが落ちてゆく、この手も落ちている。
視《み》よ、身の回りのものを、すべてのものが落ちてゆく。

しかもただ一人の者は在《あ》る、この落下を
限りなく優しく両手で受け止めるただ一人の者は在る。

（著者訳）

さて、話を戻しましょう。

この孤独な地球は、すべてのエネルギーをはじめ、すべての営みの源を、ことごとく、太陽に依存しています。ですから、太陽の周りを一回転することによって、宇宙における地球の景色は、再び、元の状態に戻ります。これが一年です。

もう少しきちんといえば、地球の北半球がいちばん太陽の光をたくさん受ける日、すなわち、夏至《げし》の日から、次の夏至の日までを一年として、これを「１太陽年」といっています。したがって、太陽と地球との位置関係で、季節などの変化に目盛をふるとすれば、いつ、どのような年であっても、同じ季節は、同じ日時に対応させることができます。

それは、地球の自転軸、つまり地軸が傾いているために、地球と太陽との位置関係によって、太陽から降りそそぐ光と熱が、どのくらい有効に地表にあたっているかが決まり、したがって、地球が、どの位置にあるかによって、季節の変化がはっきりと決まるということです。これが、現在広く使われている「太陽暦」の基本です。

この暦《こよみ》を使えば、その暦で指定される時期は、いつの年であっても、太陽と地球との位置関係は同じになり、たとえば、花が咲き出す平均的な時期や、昼と夜の長さが同じになる日は、毎年、同じになります。これが現在、広く使われている太陽暦のメリットです。

★ほんとうに正確な「時」とは

さて、同じ天体でも、月は特殊な存在です。

月の出の時刻は大きく変化しますが、それよりも、満ち欠けがあり、しかも、それは、およそ29・5日を周期として繰り返されますから、時間の経過を測ると時計としては、人の目にもはっきりしていて、とても便利な存在です。

この周期を一ヶ月とする暦で測ったときの一ヶ月のことを「1朔望月《さくぼうづき》」といいます。「朔」は新月を、「望」は満月を意味しています（十五ページ参照）。

しかし、新月から新月まで、月の満ち欠けの周期を一ヶ月であるとすると、一年間は「29・５日×12＝３５４日」になり、太陽のまわりを公転する地球が、元の場所に戻ってくる11日前に、新しい年になってしまいます。

そのため三年近くなると、ずれがおよそ一ヶ月にもなりますから、そこに「閏月《うるうづき》」を入れることで調整しなければなりません。しかし、「閏月」を入れると、一年は13ヶ月で３８４日になります。といって、入れなければ、三年で一ヶ月ずれるのですから、一八年では半年ずれることになり、日本でいえば、お正月が、夏の盛りになってしまいます。

これが、いわゆる「旧暦」と呼ばれている暦で、確かに、目に見える月の満ち欠けが基準になっていて、分かりやすい暦ではありますが、実際の季節とのずれが生じてくるのが難点です。

そこで、月日と季節のずれを克服するために考えられたのが、「二十四節気《せっき》」と暦を併用する方法です。これは、主に、中国、日本で使われてきた暦で、「太陰太陽暦」と呼ばれていますが、まず、冬至《とうじ》を基準にして、一年を24等分したものです。

表にしてみると、次の通りです。

十一月中　冬至《とうじ》、
十一月節　小寒《しょうかん》、
十二月中　大寒《だいかん》、
十二月節　立春《りっしゅん》、
一月中　雨水《うすい》、
一月節　啓蟄《けいちつ》、
二月中　春分《しゅんぶん》、
二月節　清明《せいめい》、
三月中　穀雨《こくう》、
三月節　立夏《りっか》、
四月中　小満《しょうまん》、
四月節　芒種《ぼうしゅ》、
五月中　夏至《げし》、
五月節　小暑《しょうしょ》、
六月中　大暑《たいしょ》、

六月節　立秋《りっしゅう》、
七月中　白露《はくろ》、
七月節　処暑《しょしょ》、
八月中　秋分《しゅうぶん》、
八月節　寒露《かんろ》、
九月中　霜降《そうこう》、
九月節　立冬《りっとう》、
十月中　小雪《しょうせつ》、
十月節　大雪《たいせつ》、

冬至を、十一月の「中」気、小寒を、十一月の「節」気というように、二十四節気を一つおきに「中」と「節」に分けるのです。そして、それぞれの「中」を含む「1朔望月」に数詞で何月という月の名前をつけることにしたのです。「中」と「中」の間隔はおよそ「365÷12」で「30・4日」です。

そこでもし、「中」をふくまない朔望月ができた場合は、そのときが「閏月《うるうづき》」になり、その前の月の名前に「閏《うるう》」をつけて呼ぶことにします。二月の後に、その月がきたら、「閏二《うるうに》月《がつ》」と名づけるのです。

このようにしておけば、たとえば、種をまくのは三月五日ころだということを伝えるには、「三月五日」という表現をせずに、「穀雨《こくう》の時期」に、といえば、その季節を適切に伝えることができるわけです。

月の満ち欠けで日にちを特定し、一年を通しての季節の変化に対しては、二十四節気によって、いわば「注」をつけていくこの方法は、極めてすぐれた暦だといえます。

それは、太陽暦は、ただ一年の枠を決めて、それに数字を当てはめただけの単純な暦ですが、この旧暦（太陰太陽暦）には、月の満ち欠けによる短い周期の目盛がついていて、しかも、とても身近な季節感が漂う節気などがあるので、きわめて自然と近い日常を感じることができるという点で、すぐれた特徴をもつからです。

こうして考えてみると、月の始まり、ひいては一日の始まりも、細い月が夕空に見える夕方から始まりとするのも、一理ありそうですね。事実、古代バビロンでは、一日の始まりは、三日月が見える夕刻だとしていたようです。

また、旧約聖書の冒頭、『創世記』の第一章には、「神はまず、天と地をつくり、光あれと言われ、昼と夜の区別をつけられた」とありますが、その後に出てくる文言が、「夕《ゆうべ》となり、また朝となった」であり、その後、六日にわたって行なわれる神の創造が終わると、やはり同じように「夕となり、また朝になった」と書かれています。
　ということは、元々古代の人たちは、夕方を「一日の始まり」としていた、と思いたくなりますね。だからこそ、特にユダヤ教では、夕べの祈りが大切なのかもしれません。

　このように人々は、太陽や月の周期的な変化の様相を、宇宙のリズムだとして、そこから時間経過の「ものさし」をつくっていきました。
　その基本になる現象は、周期的な運動です。そのなかの一つに振り子があります。振り子の長さを一定にしてさえいれば、振れる周期は一定です。［注］
　さて、実際の振り子を使って時の刻みを調節する仕掛けが「振り子時計」ですが、いわゆるゼンマイ時計も、あるいは、最近の電子時計も、原理的には、周期的な振動を使っています。
　今、最も正確だとされているのは、原子時計で、原子の固有振動を使っています。その正確さの秘密は、原子の固有振動は、周囲の状況には極めて影響を受けにくい、最も根源的な性質だからです。たとえば、腕時計を例にとれば、ゼンマイ時計は、腕の動かし方や、周囲の温度や磁気などの影響を受けやすく、狂いも大きくなりますが、クオーツ時計と呼ばれる時計は、水晶の固有振動を基準にしていますから、ゼンマイよりも、より正確です。しかし、歯車などの機械を使っていますから、そこから生じる狂いは避けることはできません。しかし、原子時計には、機械的に動く部分がほとんどないので、正確なのです。

それにしても、正確な時計をつくろうと思えば、正確な時を刻む基準時計が必要になりますが、考えてみると、「最も正確な時間を刻む基準時計」は、存在しません。

なぜならば、その時計がほんとうに正確であるかどうかを確かめるためには、さらに、基準になる時計が必要になり、堂々巡りになってしまうからです。

では、宇宙の現象を基準にすればいいのか、ということにもなりますが、原子時計を基準にすれば、地球の自転や、公転も決して一定ではありませんし、振り子のように、機械的な可動部分があれば、空気の抵抗や摩擦もありますから、時の刻みも、ゆらゆら揺れているでしょう。

時計の精度は、それを上回る精度をもった時計なしでは測れません。

ということは、どこまでいっても、きりがなくて、ほんとうに正確な「時」には、永遠に出会えそうにもありません。

時間とは、当たり前の存在であるようで、実は、正体不明の不思議な存在なのです。

そのほかに、時の経過を測るには、一定の速さで起こる現象を利用するという方法もあります。一定量の水が流れるようにした水時計、あるいは、砂時計、ローソク時計などもあります。

ドイツの作家トマス・マン（一八七五〜一九五五）が、『魔の山』という作品のなかで、「時そのものが過ぎてゆく速さを測るいかなる手段も私たちはもっていない」と書いていたと思いますが、ほんとうにその通りで、時間というものの不思議はつのるばかりです。

速さを測ることはできなくても、時の経過の速さを感じられる人間とは、いったい何なのでしょうか。

［注］振り子の長さをＬとし、地球の重力加速度をｇ（およそ9.8m/sec^2）、そして周期をＴとすれば、$T=2\pi\sqrt{\frac{L}{g}}$。Ｌ＝１ｍとすれば、Ｔ〜２秒、つまり、振り子が左右を行き来する時間が１秒。

★物理的な時間には過去と未来の区別はない？

これまで、お話ししてきましたように、私たちは、時間の存在を確かに実感してはいますが、その本質とは何か、ということになると困ってしまいます。……ということで、まず手がかりとして、「物理学での時間」についてのお話から始めましょう。

「物理学での時間」というのは、物質界の変化を測るときの「物差し」に相当するものです。たとえば、紅茶にミルクを入れてから紅茶を飲むとか、ご飯を食べてから出かけるというように、物質界に生起する、それぞれの現象の「後《あと》・先《さき》」を決める指標です。

したがって、時間そのものについては、過去、未来などに対しての絶対的な意味はありません。先ほど、お話しした「振り子」を例に考えても、左右を往復する運動は、過去、未来に対して対称的で、区別はありません。

あるいは、真上に投げ上げられたボールの運動を考えても、ボールの高さが高くなるにつれて速度は遅くなり、ある高さに達した瞬間には、静止します。その後再び、速度を増大しながら落下して、投げ上げられた点に戻りますが、そのときの速度は、投げ上げられたときの速度と同じです。

つまり、いずれの場合も、その模様をビデオに撮り、逆回しして再生したとしても、区別はつきません。この場合の「時間」は、可逆的《かぎゃくてき》なのです。

特に、振り子の場合など、振れているのを見ていると、どちらが現実の時間で、どちらが、逆向きの時を刻んでいるのか分からなくなってきます。この事実は、これらの運動を数学的な方程式にして解いてみると、時間の過去、未来については、対称的で、同じ結果が得られることからも推測できることです。

となると、「物理的な時間には過去と未来の区別はない」ということなのでしょうか？

そんなことは考えにくいですね。

たとえば、お香《こう》を焚《た》いているときに、香炉からは、かすかな煙が立ち昇っています。その煙は、小さな粒子であることには違いありませんが、広がっていき、やがて、空気のなかに溶け込んで消えていきます。しかし、いくら待ってみても、その煙が、元の香炉のなかに戻っていくことはありません。

この例を考える限り、時間の経過には、方向性があるようです。過去から未来への方向は決まっているようです。この時間の進み方の一方向性は、どこから生まれてくるのでしょうか？

考えてみれば、この煙の粒子は、ミクロな眼差《まなざ》しで見れば、先ほどお話ししたボールと同じです。それぞれの粒子の振る舞いは、過去と未来が対称的で、同じようなプロセスで起こっているはずです。しかし、香炉から立ち上った煙は、決して元には戻りません。その秘密を解くカギは、無数の粒子からできている集合体だからこそもっている、統計的な性質に関わっています。

　個々の粒子には、意思のようなものはなく、完全にデタラメな運動をするとしましょう。話を簡単にするために、［図Ⅰ］のような部屋を真ん中で仕切って、その一方の側に、たがいに区別できない同じ顔をした4個の粒子、A、B、C、Dが入っているとします。

　このような状況が起こる場合は、1通りしかありません。今度は、一方の部屋に1つの粒子が入っていて、もう一方の部屋には、3個の粒子が入っている場合を考えましょう。4個の粒子から1つの粒子を選ぶ場合の「場合の数」は4です。

　一方の部屋に粒子Aがあれば、他方の部屋には、粒子B、Cか、Dがあり、一方の部屋に粒子Bがあれば、他方には、粒子A、C、D。さらに、一方の部屋に粒子Cがあれば、他方はA、B、D。そして、一方の部屋に粒子Dがあれば、他方の部屋には、A、B、Cの粒子が入っていることになります。

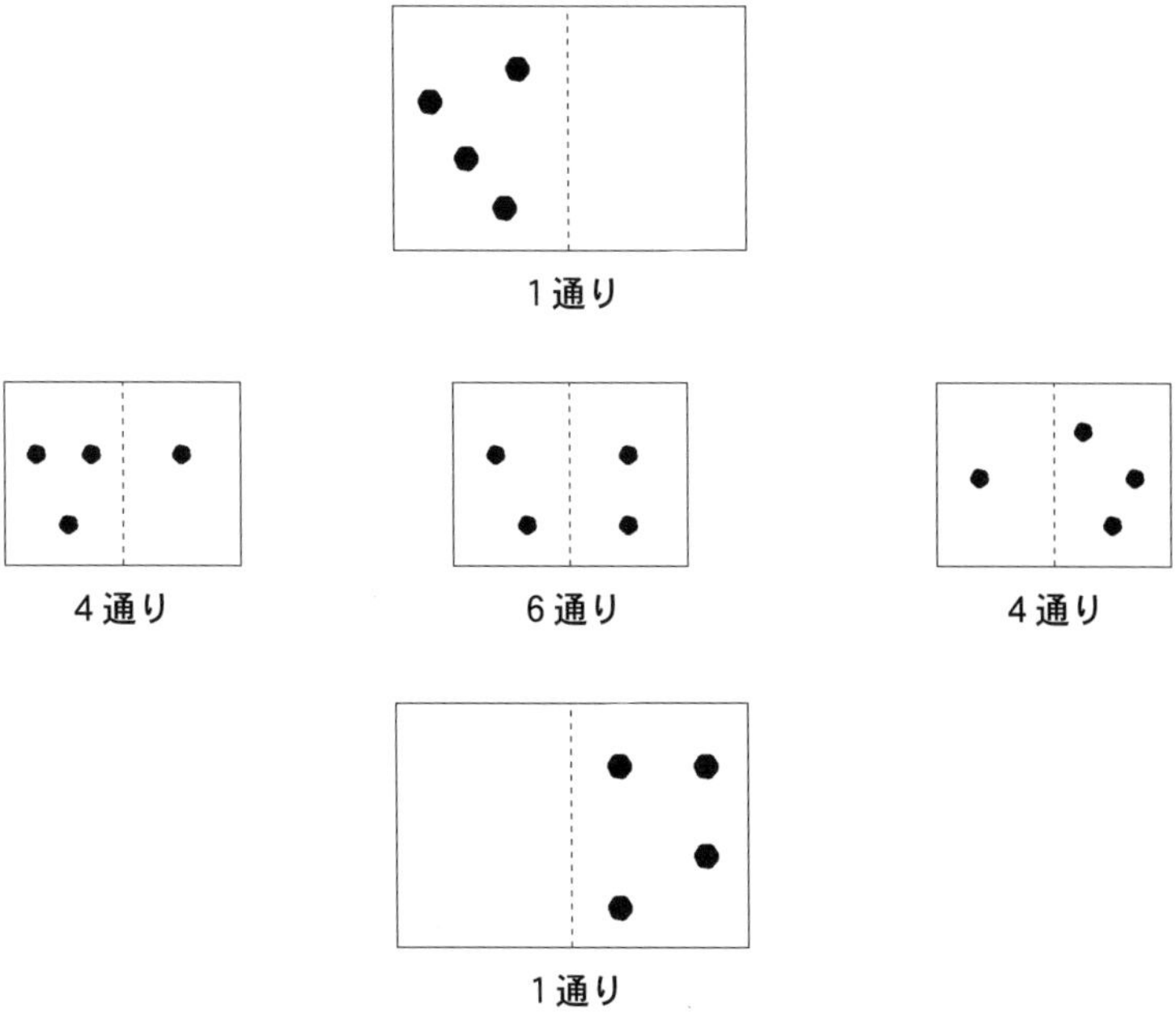

［図1］

つまり、一方の部屋に1個、他方の部屋に3個の粒子が入っているときの「場合の数」は4通りです。

同様にして、両方の部屋に、粒子が2個ずつ均等に入っている「場合の数」を数え上げてみると、6通りになります。

具体的にいえば、一方の部屋にいる粒子の組み合わせは、以下の6通りです。

〔1〕A、B、〔2〕A、C、〔3〕A、D、
〔4〕B、C、〔5〕B、D、〔6〕C、D

ここで、考えてみましょう。たくさんの粒子たちには、自分の意思がなく、でたらめに動いているわけですから、そのような状態が実現される「場合の数」が大きいほど、実際に起こる確率が大きくなるでしょう。

つまり、部屋の片方に4個がひしめきあうときの「場合の数」は1通り、片方に3個の粒子があるときの「場合の数」は4通り、そして、両方の部屋に2個ずつ、つまり、全体に、万遍《まんべん》なく広がっているときの「場合の数」は6通りです。

ということは、起こり得る「場合の数」が大きいほど、実際に起こる確率が大きいということですから、4個の粒子たちは、どちらかの部屋に偏って存在するよりも、全体に広

がっている方が、起こりやすいということになります。

つまり、香炉から立ち上る粒子たちは、狭い香炉のなかに閉じ込められているよりも、広く全体に広がった状態の方が、より大きい「場合の数」をもっているのですから、全体としてみれば、煙は広がっていくばかりで、元に戻る確率は小さいということになります。

この傾向は、部屋のなかに入っている粒子の個数が多くなればなるほど、部屋中に均一に広がる確率は圧倒的に大きく、その一方では、粒子たちが部屋のどちらかに偏《かたよ》って存在する確率はきわめて小さく、そういう状態が実現することは起こらない、ということにもなります。

この問題を、もう少し現実的な問題として、具体的な事例で考えてみましょう。

（ただし、「数学が苦手！」という方は、六十二ページまでは、どうぞ読み飛ばしていただいて結構です）

たとえば、縦横がそれぞれ4メートル四方の大きさで、高さが2・5メートルの大きさの部屋があったとします。日本家屋でいえば、ちょうど八帖間ほどの部屋です。

この部屋の体積は40立方メートル。ところで、空気1立方メートルの重さはおよそ1キログラムですから、この部屋全体に入っている空気の全重量は40キログラムです。

　空気というのは、意外に重いものなのですね。重いからこそ、向かい風で自転車を漕《こ》ぐのは大変なことになるのですし、台風のときの風圧によって、草木がなぎ倒され、家屋さえも倒壊するわけです。

　一方、空気の分子一個の平均重量は、「０・００……（０が25個）……００５」キログラムですから、この部屋の中に入っている分子の数は、およそ「１００……（０が28個）……０００」個です。

　そこで、部屋の中に１個の分子が存在している場合、この部屋の左半分か右半分にある確率は$\frac{1}{2}$です。２個の分子が、二つとも、この部屋のどちらか半分にある確率は、「$\frac{1}{2}\times\frac{1}{2}=\frac{1}{4}$」、同様に、４個の分子の場合には、「$\frac{1}{2}\times\frac{1}{2}\times\frac{1}{2}\times\frac{1}{2}=\frac{1}{16}$」になります。したがって、この部屋全体のなかに入っている分子が部屋のどちらか一方に偏る場合の確率は、「$\frac{1}{2}$」を「１００……（０が28個）……０００回」、掛け合わせることになり、ほとんど、０になります。

　つまり、そういう事態は起こり得ないということです。

　さらに、空気の分子は、秒速５００メートルくらいの速さで動いていますから、部屋の端から端まで動くのに、$\frac{1}{100}$秒です。ということは、毎秒１００回の割合で、部屋のなかで左右の位置を変えています。そこで、１個の粒子が、部屋のどちらかに存在する確率は$\frac{1}{2}$で、端から端まで、$\frac{1}{100}$秒で動いているのですから、１個の粒子が部屋の一方に存在するような状態の待ち時間は、「$\frac{1}{100}$秒÷$\frac{1}{2}$＝$\frac{1}{50}$秒」です。

つまり、少なくとも、$\frac{1}{50}$秒待っていれば、部屋のなかの片方に粒子が存在する状態に出会えるということです。

ここまで分かれば、部屋中の分子が、すべて部屋半分に偏ってしまうまでの時間を計算するのは簡単です。

「$\frac{1}{100}$秒÷《先ほど計算した全部の粒子が部屋半分の偏る確率、つまり、「$\frac{1}{2}$×10・００…〈0が28個〉…０００」》」ですから、10を「２９９９…（9を25個）…９９８回」かけた数だけの秒数待てば、実現する、ということになります。

ここでの「時間」は、宇宙が誕生してから今までの時間が、10を17回かけたくらいの秒数だったことを思い起こすと、途方もなく長い時間だということが分かるでしょう。

言葉をかえれば、宇宙ができてから今まで、一度も起こっていないという状況だった、ということになります。

話題を戻しましょう。

実は、このような確率的な性質が「時間の方向性」を決めているというのが、今、私たちが考えている時間の正体です。

部屋の片隅にあった空気は全体に広がろうとしますが、その反対のことが起こる確率は、極めて小さくなり、起こり得ない。いいかえれば、「時間の逆走は起こらない」ということですね。

別の例でいえば、割れた壺《つぼ》が元に戻らないというのも、壺というかたちを保つには、それぞれの要素、つまり壺の破片は、１通りの組み合わせしかありませんが、割れ方には、数え切れないほどの「場合の数」があるわけで、破片が元通りになるよりも、割れる方がはるかに起こりやすい、ということなのです。

多少、乱暴なたとえですが、ガラスを割ってしまった子どもに対して、飛び散った破片を組み合わせて元通りのかたちにすることがいかに大変であるかを教えれば、ガラスを割ることがいかに損失であるかを教えることができる、ということでしょう。

以上、お話ししたことの根底には、この世界が、自分の意思をもたない無数の粒子の集合体からできていることが仮定されています。

事実、私たちの世界全体は、そういう無数の原子たちから構成されているのですから、時間の流れも、方向性をもってしまうのです。このことを、宇宙規模にまで広げて考えると、私たちの宇宙は、膨張を続けているのですから、空間が拡がる方向、つまり、その空間の膨張こそが、宇宙時間の流れの方向を決めているといってもいいでしょう。

とすれば、もし、宇宙が収縮しているとすれば、時間の流れは今とは逆になり、時間は、未来から過去へと流れていくことになるのでしょうか。確かに、理屈の上では、そのようになりますが、そこに、宇宙の状況を認識できる私たちの脳まで含めて考えると、事情は大きく異なってきます。

つまり、私たちが、「何かを思考するプロセス」というのは、「脳のなかでの分子配列が、時々刻々と変化しているということ」です。その変化は、時間の流れに沿って、起こっているのですから、宇宙が膨張していることによる「時間の流れ」に制約されていることになり、収縮宇宙では、思考が停止してしまって、未来から過去というような体験を認識することは不可能だ、ということになります。

重ねていえば、私たちの宇宙が膨張しているからこそ、「宇宙のことを考えることができる私たち」が存在している、ということになります。

宇宙が膨張していても収縮していても、私たちの日常生活とは無関係である、と思いがちですが、実は、こんなところにも、宇宙のからくりと私たちは、深く関わっているという事実が見え隠れしているわけです。「私たちが認識できる宇宙」とは、必然的に「膨張している宇宙」だけだということです。

私たちは、このように、大きな宇宙のシナリオのなかでしか、生きていくことはできません。それを、宇宙の摂理だといってもいいのでしょうが、そのような宇宙の枠組みのなかで、日々、冒険を重ねながら、自身の物語をつくっていくという営みが、生きていくということなのでしょう。

★楽しい時間はなぜ速いのか

ここで、私たちが日常生活のなかで感じている時間について、考えてみましょう。

先ほど、時間の流れの速さを物理的に測定することはできない、ということをお話ししましたが、これは、時間という不可思議な存在の実体が、私たちの目には見えない心の働きと深く関わっていることを意味しています。

たとえば、同じ24時間という時計による時間は同じでも、子どものときの時間と大人になってからの時間は、進み方が違うように感じます。つまり、年齢を重ねていけばいくほど、時の流れを速く感じます。

これは、心理的時間です。その理由は定かではありませんが、一つの考え方は、10歳の子どもに対しての一年間は、生涯の$\frac{1}{10}$ですが、50歳の大人に対しては、それまでの生涯の$\frac{1}{50}$に過ぎないからだという考え方も出てきます。

あるいは、子どもの細胞分裂の速さは大人に比べて速く、からだの再生能力も活発ですから、同じ量の仕事をこなすのに、時間が大人ほどかからず、たくさんの仕事ができるからだという理由も、さほど間違ってはいないでしょう。

このことを、受験生と、その試験監督という立場で考えてみると、受験生にとっての試験時間は、あっという間に過ぎ去りますが、監督者にとっては、これほど退屈で、しかも、時間の経過を遅く感じる状況は、他に類をみないほどです。

この状況を、多少強引ですが、物理の言葉で解釈してみると、まず、

時間＝距離÷速度

であることに、注目しましょう。

ここで、「距離」を「なさねばならない仕事の量」、「速度」を「仕事を処理するスピード」だとしましょう。

受験生にとっては、解かねばならない仕事量は一定であっても、あれやこれや考えをめぐらさねばなりませんから、速度は大きく、したがって、分母は大きくなり、その結果、時間は小さくなります。つまり、同じ時間を少なく感じてしまいます。

一方、試験監督は、ただ受験生を見ているだけで、仕事の質は単純で退屈です。仕事を処理する速度は、ほとんど要求されません。そうすると、分母は小さくなり、時間は大きくなります。そこで、たくさんの時間を経験しているように感じるというわけです。

楽しい時間は、あっという間に過ぎ去り、退屈で気乗りしない時間は、なかなか過ぎ去らないという状態は、どうでしょうか。この場合も、楽しいときには、いろいろなことをたくさんつぎからつぎへと経験しているのですから、その速度は大きく、逆に、退屈なことには興味も湧かず、速度も遅いというわけでしょう。

これは、あくまでも、一つの解釈ですから、学問的な裏づけはさほどありませんが、なんとなく、納得できそうな考え方ですね。

余談ですが、見かけ上は、同じ出来事であっても、男性と女性とでは、時間の感じ方が違うようですね。

どちらかといえば、男性の時間はせっかちで、女性の時間はおっとりしていて、余韻を楽しむ傾向があるようです。

そこには、恐らく生物学的な性差が関与しているのでしょうが、元々、女性には、子孫を残すという女性特有の役目がありますから、自然に経過する時間に対しては寛容であるためでしょう。具体的にいえば、受精から出産までの時間を自己都合でコントロールすることはできませんし、何事も時が熟さない限り成就できないことを、遺伝的資質として知っているからでしょう。

ところが、失恋の痛手から立ち直る時間についていえば、女性のほうが男性よりもはるかに短いことも統計的に知られています。あえて言ってしまえば、子孫を存続させるためには、一人の男性にいつまでも関わっている余裕などはない、ということかもしれません。

後の章で詳しくお話ししますが、宇宙はまず、女性をつくり、その後で、男性をつくったようです。ですから、女性の方が、より強く、精巧につくられていることは間違いなさそうです。

★宇宙は「5次元」の世界の時空

それでは、ここで少しだけ、時間と宇宙との関わりについて、お話ししましょう。

紀元前三世紀くらいにまとめられた中国の古典『淮《え》南《なん》子《じ》』には、宇宙の定義が記されています。それによれば「宇」とは「四方上下」、つまり空間、「宙」とは「往古来今」、つまり時間のことだと明記されています。

となると、時間と宇宙とは、深いつながりがあって、宇宙の誕生こそが、時間の始まりであるともいえます。したがって「宇宙が始まる前はどうなっていたのだろう？」という設問は、そもそも「その前という時間」がないわけですから、意味をなさなくなります。

これは、「宇宙の外」という概念が成立しないことと並んで、私たちの日常感覚では、なかなか納得しづらい言い回しです。つまり、「すべてを包括するものが宇宙」なのですから、かりに「宇宙の外」が存在したとすれば、今、宇宙といっている存在は、「宇宙の部分」ということになり、論理を逸脱します。

それと同じにように、「時間の始まり」という表現を使うならば、まだ、始まっていない状態に対して、「始まる」という状態に変わるわけですから、どうしても、普遍的に流れている絶対時間の存在を考えてしまいます。

しかし、現代の物理学では、そのような時間が存在すること自体が、矛盾を招く結果になり、「時間は、空間と切り離されることなく、宇宙の誕生と同時に誕生したものである」と考えています。

これ以上のお話は専門書に任せるとして、ここでは、私たちが日常感覚で感じられる範囲に限定して、もう少しお話をすすめることにしましょう。

さて、私たちの日常感覚では、時間と空間は別のもので、時間の流れは、私たちの意思によっては、コントロールできないものだと信じられています。私たちの意思とは関係なく、「時間は過ぎ去っていくもの」として感じています。

しかし、考えてみると、私たちが日常使って会話のなかでも、時間と空間は微妙にからみあっている事例がたくさんあります。

その一例を挙げれば、「私の家は、ここから歩いて10分くらいのところです」といってみたり、「今ごろは、横浜あたりかな……」などと、距離を時刻で表現したり、時間経過を場所で表現したりしています。もちろん、これらの場合は、歩く速さとか、乗り物の速さが暗黙のうちに仮定された上での話ですから、決して不思議なことではないのですが、ここで、先ほど、お話しした宇宙の膨張のことを思い起こしてください。時間の流れる方向を決めているのは、宇宙という空間の膨張でした。つまり、繰り返しになりますが、過去から未来へという一方向性は、膨張によって生じていて、もし、収縮していれば、時間は、未来から過去へと逆流するのでしょうが、それは、脳の認識過程から考えて、私たちの認識をこえる現象ですから、私たち人間には、感じることのできない世界です。これは、空間での移動は、東に行くことも西に行くことも自由にできて、双方向的であることと対照的な性質です。

しかし、この対照性は、宇宙空間の膨張に絡んで生じてくる性質ですから、時間と空間は深く結びついていることが、見えてきますね。その結びつきを理論的に明らかにしたのが、アインシュタイン（一八七九〜一九五五）による「相対性理論」なのです。

私たちが、普段、体験している空間は、縦、横、高さを指定すれば、ある点の位置は、しっかりと決まります。

たとえば、ある場所を基点にして、そこから東に1キロメートル進み、さらに南に2キロメートル行ったところにある建物の三階、というように、三つの数字を指定することによって、空間の位置ははっきりと決まります。

このように、三つの数によって、特定の位置が決められるような空間を、3次元空間といいます。縦、横の二つの数で決まる位置といえば平面ですが、それを2次元空間といいます。ただ、一つの数で、ある点の位置が決められる世界は1次元空間と呼ばれていますが、それは一本の直線や曲線で表される世界です。

実は、時間の流れというのは、過去から未来へ向けて、ただ流れていくだけですから、1次元です。始まりを0とすれば、その後のいかなる瞬間も、3秒後とか1時間後というように、一つの数字でその位置が表されるからです。ついでにお話ししておきますが、面積もなく、ただその位置だけをもつ点は、0次元の世界の存在です。

さて、私たちが住む空間は3次元だということが分かりました。しかし、誰かと待ち合わせするには、場所だけではなく、時刻も指定しなければ、うまく出会うことはできません。そこで、1次元の時間と3次元の空間を一まとめにして、4次元空間というものを考えると、時間と空間を融合させた宇宙の幾何学をつくることができます。それが、アインシュタインの「一般相対性理論」です。

その4次元空間のことを、「時空《じくう》」ともいいますが、これは、宇宙という言葉の意味が、空間と時間という意味を含めた言葉であることから考えると、宇宙そのものの別の呼び方だと考えてもいいですね。

　このように、私たちが住んでいる空間的世界は、時間を考えなければ、3次元世界です。そこで想像をたくましくして、4次元空間だとしたら、どのようなことが起こるのか、考えてみましょう。

　まず、準備として、厚さのない紙のなかに閉じ込められている世界、すなわち、2次元世界という面のなかの世界から立体としての3次元世界を見ると、どのように見えるかについて考えてみましょう。

　たとえば、「面世界」を、3次元世界の物体である球体が突き抜ける場面です。まず、球体が面に触れたところで、何もないところに突然、小さな点が現れ、やがて球体の断面が円になり、その大きさが次第に大きくなって、消えて行く……という、なんとも不思議な風景が見えるでしょう。2次元世界では、球体の切り口しか見えないからです。

　そこで、この場面を、私たちが生きている3次元空間に置き換えて考えてみましょう。縦、横、高さのほかにもう一つ、私たちには感知できない謎の「X番目の次元」がある世界を3次元世界から見ると、常識では考えられない不思議な現象として目に映るでしょう。

実は、何もない（?）ところから突如《とつじょ》生まれたと考えられている私たちの宇宙も、「X次元」の世界から見れば、ごく当たり前のことかもしれません。

　空間だけに限っていえば、私たちの3次元空間にいちばん近いのは、4次元空間です。そこで起こっていることを、3次元世界からみると、突然、謎の物体が現れたり消えたりしても、なんの不思議もありません。ここに、過去から未来へと流れる時間という次元を加えると、5次元世界の時空ができあがります。ブラックホールや謎の暗黒物質など、不思議な世界の存在が確認されつつある現代、宇宙は5次元時空だと考えると、つじつまがあうことが、次第に明らかになりつつあります。

　となると、私たちの日常世界では、考えられないような不思議な現象が起こったとしたら、それは、ひょっとしたら、5次元時空の世界が、この世に滲《し》み出してきた現象なのかもしれませんね。論理に裏打ちされた方法論で、想像力を駆使してみるのも、たまには、いいかもしれません。

　私たち人間は、いつの時代にあっても、地球という宇宙の渚《なぎさ》にたたずみ、限りない神秘に満ちた未知の宇宙へと想いを馳《は》せながら、それは、やがて、畏敬の念となり、宗教や芸術を生み出す素地を、つくり上げてきました。

そんな人々の営みを、なつかしむ抒情詩があります。現代日本の代表的詩人の岸田衿子《えりこ》さんの作品です。

海の涯は　滝なのだ　と
信じていた　なつかしい人びと
海の涯から　とびおりると
空に落下するのだ　と

（岸田衿子著『あかるい日の歌』青土社刊より）

★「トンネル」の先にあるもの

さて、時空といえば、思い出すのがトンネルです。

私たちの周りにあるトンネルには、何か、時空を超える不思議な風の通り道のような印象があります。心理学などでは、心の闇《やみ》にもたとえられますが、私たちの人生も、トンネルをくぐっては抜け、抜けてはくぐりながら新しい駅に到達する、列車の旅に似ているような気がします。

とりわけ、ＳＬ（蒸気機関車）が牽引《けんいん》していた時代の列車の旅では、トンネルに入る合図の警笛が聞こえると急いで窓を閉め、窓枠の隙間《すきま》からもれてくる煤煙《ばいえん》の匂いや、煤《すす》そのものと向き合うなかで、ときには、機関車の運転室はどんなだろうと想像しながら、煙がたちこめる最前部の客車のデッキに出てみたりしていたものでした。

そんなわけで、トンネルを抜けた後、車窓に広がる開放感は格別でしたが、今では、ほとんどの車両が密閉型ですから、トンネルをくぐるといっても、騒音と明暗が繰り返されるだけの退屈な風景になってしまいました。そうなると、屋根裏部屋にレールを敷き詰め、なつかしい往年のジオラマ風景をつくり、鉄道模型を走らせて、そのなかに想い出を重ねていくしかありません。

トンネルといえば、川端康成の小説「国境の長いトンネルを抜けると雪国であった」で始まる『雪国』、アニメーションでいえば、宮崎駿《はやお》作品の『千と千《ち》尋《ひろ》の神隠し』、いずれも、トンネルは別世界への架け橋であり、異界への通路という設定です。

これに似た光景は、たとえば現代科学最先端の研究所が、トンネルを抜けた先に切り開いた広大な山間の敷地のなかにつくられているところにも見られます。トンネルの存在は、秘密保持の意味以上に、研究意欲をかきたてる効果が大きいようです。

実は、そんなトンネルに魅せられてきた私の趣味の一つに、今では廃線になって朽ち果てながらも、往年の活躍が偲《しの》ばれるトンネルを徒歩で旅することがあります。一寸先も見えないその闇のなかで、したたる水音と自分の靴音だけがこだますると、現在という時間を超越して、過去でも未来でもない浮遊する時間がたち現れ、やがて、はるかな出口からもれてくるかすかな明かりに、未来を託すのです。

旧信越本線、軽井沢駅近くの美しい煉瓦《れんが》づくりのトンネル、第二次世界大戦中、兵器製造用鉄材としてレールが供出された旧御殿場《ごてんば》線、山北《やまきた》駅付近。トンネルを出ると、そこは、鉄橋になっていて、秋になると、撤去されたレールの跡に、コスモスの可憐な花が揺れています。夢のような風景です。

現在住んでいる鈴鹿《すずか》にも、県道の下をくぐる20メートルほどの小さなトンネルがあって、入り口には、草が垂れ下がり、あたかも〝異界〟への入り口を想わせる場所があります。それをくぐって一歩、足を踏み入れると、そこは、まるで宮崎アニメの『トトロの森』、星月夜には、森の神たちが出てきそうな気配です。

しかも、闇のなかから響いてくるＪＲ関西線列車の音は、〝銀河鉄道〟そのものです。

秋のさなかに、もう飛ぶことはできない蛍が明滅していたり、不思議な色に光る目をもつ動物に出会うこともめずらしくない、まさに〝異界〟です。

ところで、現代の技術文明を支えている重要な発見に「トンネル効果」があります。原子を構成する素粒子は、どんな厚い壁があっても、するりと通り抜ける確率がゼロではないというものです。

となると、科学の世界でも、トンネルは、「不思議な異界」に抜ける風の通り道のようなもので、その先にあるものは、ブラックホール、ホワイトホールであり、宇宙のすべての根源は「トンネル」の先にあるような気もしてきますね。私たちの人生に置き換えて考えてみれば、時間とは、私たちの人生そのものだともいえます。

ドイツの実存哲学の旗手、M・ハイデッガー（一八八九〜一九七六）が、難解なことで有名な著作『存在と時間』のなかで使っている〝Zeitigung〟の意味も、そんなところにあるのかもしれません。「時とともに生きる」というようなニュアンスを、表現する言葉です。

3

「音」が「音楽」になるとき

★「音」に宇宙のからくり

窓辺のカーテン越しに月明かりが点《とも》り、すべてが寝静まったかのような夜、かすかに、パソコンのハードディスクが回っている音だけが聞こえています。「しずけさ」を感じるひとときです。

もし、ここが、完全に外部の音と遮断されていて、しかも、まったく音が響かない部屋だとしたら、この「しずけさ」を味わうことはできません。かすかな音が、「しずけさ」を生み出しています。つまり、「静かであるということ」と「物理的な音響が存在しないということ」は、別の状況のようです。

芭蕉は、

古池や蛙《かわず》飛びこむ水の音

という句のなかで、カエルが飛び込む水の音ゆえに古池の「しずけさ」を感じ、さらに、

閑《しず》かさや岩にしみ入る蟬《せみ》の声

という句では、物理的には騒音としかいいようのない蟬の音が聞こえるゆえに、うだるような暑さと静寂さの共存が、見事に表現されていることもその一例でしょう。英語の表現

でいえば、無機的とも思える、〝サイレント〟ではない、〝クワイアット〟です。

実は、この矛盾とも思える現象は、一九七八年に、ロンドン大学のケンプ博士が発見した「耳音響放射《じおんきょうほうしゃ》」と関連しているのかもしれないという気がしています。「耳音響放射」とは、外耳道《がいじどう》のなかに小型イヤホンとマイクが内蔵されたプローブを挿入してみると、かすかな笛のような音が発生している現象のことです。

男性よりも、女性に顕著に見られることが報告されていますが、このことは、次の章でお話しするように、男性よりも女性のほうが、より高度な身体的構造をしているためかもしれません。また、左耳よりも右耳に顕著だともいわれています。これは、左脳、つまり、論理的思考を司《つかさど》る数理脳と関連する聴覚ですから、自然界の物理的構造と、何か関係があるのかもしれません。

さらに、この音は、モルモットを使った実験では、生きている間だけ発生している音であることが確認されていますから、生きている私たちは、耳が元々自発的に出している音と、外部からの音を混ぜ合わせながら音を認識しているということなのでしょう。

しかも、不思議なことに、ハ長調の音階でいう二つの異なった音、たとえば、ミ、ソを外部から聞かせると、耳はドに相当する自発的音響を響かせていることが実験で確かめられています。音楽では、いちばん基本になる、「ド、ミ、ソ」の和音です。

ここで、「音とは何か」ということを、物理学的な観点から、明確にしておきましょう。私たちが「音」と呼んでいる物理現象は、弦や棒のような物体が、周期的に揺れ動いたときに、その周囲の空気を巻き込んで振動させ、それが、空気や物体のような媒体を通して、私たちの耳に達したとき内部の鼓膜を振動させ、「音」として感じるものです。

ですから、音を特徴づけるものは、一秒間に何回振動するかという「振動数」が重要です。単位は「ヘルツ」で、ちなみに、コンサートや、ピアノの調律の際に、基準にしている音は、ピアノの鍵盤でいえば、ほぼ中央に位置するハ長調の「ラ」（正確にいえば、a^1）の音で、４４０ヘルツ（Hz）です。

そこで、話を戻して、「ド、ミ、ソ」という和音のそれぞれの音の振動数の比率を考えてみると、「１：２：３：４：５：６」というような、単純な数学的数列そのものになっていて、いいかえれば、人間の耳に協和音として響く音のあつまりには、「宇宙の数学的なからくり」が反映されていると考えてもよさそうです。どうやら、人間という存在は、宇宙のなかの「ひとかけら」なのでしょうね。

この関係を、ピアノの楽譜のかたちを借りて、中央の「ド」よりも、1オクターブ低い「ド」を基準にして、その2倍、3倍……6倍の振動数をもつ音として書いてみると、次ページの［譜例Ⅰ］のようになります。

これを、両端が固定された弦の振動に置き換えてみると、「振動数が2倍になる」ということは、「弦の長さが半分になる」、ということに対応します。きちんといえば、振動数は、波長の逆数だからですが、今は、そういう面倒な話は考えないことにしましょう。

そこで、［譜例Ⅰ］をよく見ると、すべての音は、「ド、ミ、ソ」という音から、できています。高い音を、オクターブ下げてまとめると、和音の「ド、ミ、ソ」になることはお分かりですね。基準の音の2倍、3倍……の振動数をもつ音のつらなりを、基準振動の「高調波」あるいは「倍音列」などと呼んでいますが、ここでは、そういう専門用語などは、気にしなくて結構です。

このように、数学の目でみると、音楽でとても重要な役割を担う「ド、ミ、ソ」という和音（音楽理論では「長三和音」といいますが、この本は、音楽の理論書ではないので、厳密なお話は避けることにしましょう）は、自然のからくりをそのまま映しているということになります。

［譜例1］

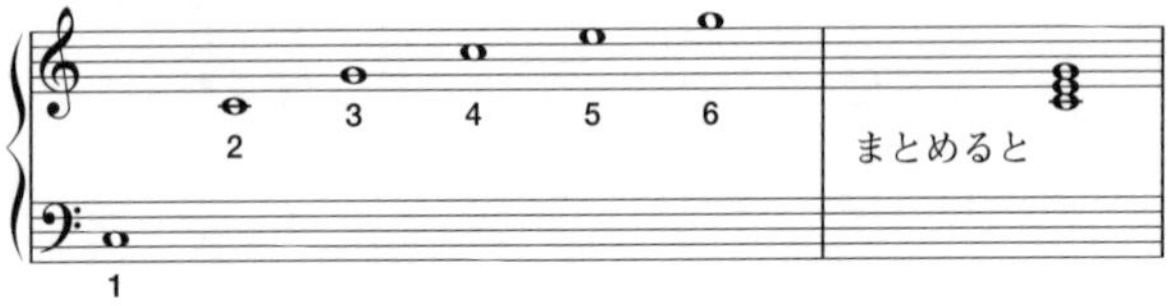

とすれば、自然の産物である人間の耳に、「ド、ミ、ソ」の和音が快適に聞こえたとしても、当然のことかもしれません。

それは、外部からの物理的刺激を、音として感知する鼓膜の振動も、物理的現象そのものに過ぎないからです。言葉をかえれば、先ほどお話しした「耳音響放射」は、まさに、人間自身が、自然から生まれた存在である、ということを示す有力な証拠だと考えてもいいでしょう。

ここで、ついでにお話ししておきますが、私たち人間にとって、最も協和して聞こえる音の組み合わせといえば、それは、まず、オクターブですね。たとえば、真ん中の「ド」と上の「ド」を同時に鳴らすと、あたかも、一つの音が広がって鳴っているような印象です。

この音が、なぜ、協和して聞こえるのかといえば、恐らく、最も単純な振動数の比率、すなわち「1：2」の音だからでしょう。

あるいは、一般的な表現をするとして、この世に二つしかない性である男性と女性では、からだの構造が違っていて、喉《のど》の筋肉の緊張度などの差異が、振動数を2倍に変えることで、たがいに調和するようにつくられているせいかもしれません。

たとえば、男性と女性が、同じ旋律の歌を一緒に歌おうとすれば、必ず、1オクターブ違います。だからこそ、声を聞いただけで、男性と女性との判別がつく、ということでしょう。

こうして考えてみると、人間のすぐれた感性、たとえば、美しく響き合うと感じる音のかたまりは、自然界の単純な数学的性質を反映しているわけですから、美的感覚は、自然との共存、あるいは、一体感のなかで育まれる、無垢《むく》な魂のなかに存在するのだ、ともいえますね。

★パイプオルガンの魅力

ところで、大きな教会やカテドラルのなかで聞くパイプオルガンの響きには、何か、言い知れぬ荘厳な世界、神を感じさせるような雰囲気があります。

とりわけ、ステンドグラスから洩《も》れてくる、鮮やかな光のなかで聞くオルガンの響きは格別です。天空の彼方《かなた》から射してくるその光は、まるで、神の栄光を称《たた》えるかのような清《せい》冽《れつ》さに満ち、それが、音と融和するとき、人々の心は、人間世界を離れ、神の国にいるかのような感動に包まれます。

実は、このような状況に人の心をさせてしまうのも、パイプオルガンの音源が、パイプのなかを振動する「空気の波」ですから、恐らく、先ほどお話しした「高調波」が出やすく、したがって、その音自体のなかに、自然界の基本的性質が、たくさん含まれているからでしょう。

だからこそ、パイプオルガンの音は、人々の脳に直接、働きかけ、脳幹を刺激して、ドーパミンなどの分泌を促し、心身ともに、安らぎの世界へと誘《いざな》ってくれるのだと思います。祈りの場に最もふさわしい楽器としてのパイプオルガンの魅力は、ここにあります。

それでは、ここで少しパイプオルガンのお話をしましょう。

みなさんも、コンサートホールや教会などで、ご覧になったことがあると思いますが、その特徴は、鍵盤が並んだ演奏台を囲むように、長さや太さの異なるたくさんのパイプが林のように立っていることです。

しかも、長さや太さだけではなく、その配列は、とても数学的な美しさに満ちています。

このパイプのなかに送風機で空気を送り込むと、あたかも、笛を吹くときのように、空気が振動して音が出るわけです。

そして、鍵盤は、どのパイプに風を送り込むかを指示するスイッチの役割をしています。通常のピアノの鍵盤の数は88ですから、当然のことながら88種類の音しか出ませんが、パイプオルガンのパイプには、いろいろの大きさや形、パイプを作る材質が、金属であったり、木材であったりするので、同じドの音であっても、どのパイプに風を送り込むかで、違った音色の音を出すことができます。

パイプオルガンのパイプが88本以上あるのは、「ド、レ、ミ、ファ……」という音階であっても、フルートのような音の音階であったり、あるいは、トランペットのような、さらには、静かな弦楽器のような、それぞれ違う音色の音階が出せるパイプのセットがあるからで、中規模のオルガンでも3000本、大きい楽器では数千本以上のパイプがあります。3000本パイプがあるということは、3000種類の音が出るということです。

そこで、どの音色のセットを鳴らすかという選択をするのが、鍵盤の近くに並んでいる「ストップ」と呼ばれるスイッチです。小さいオルガンでは10ストップ、通常のサイズで数十ストップ、大きいものでは、80ストップなどといったようなオルガンもあります。

たとえば、8フィートと書いてあるストップを操作すると、ピアノの鍵盤を弾いたときの音と同じ高さの音が出ますが、4フィートと書いてあるストップを操作すると、同じ鍵盤を弾いても、オクターブ高い音が出ます。逆に16フィートのストップは、同じ鍵盤を弾いても、ピアノの鍵盤に相当する音の1オクターブ低い音が出ます。

しかも、同じ8フィートであっても、フルートの音色や、きらびやかなトランペット、あるいは、夢のような木管の音がするパイプに風を送るストップがありますから、一つの鍵盤を弾いても、たくさんの音を同時に鳴らすことができるわけです。

さらに、ピアノなどと違って特徴的なことは、一台のオルガンに、2段から5段くらいまでの鍵盤が備わっていることです。その理由は、同じドの音であっても、それぞれの鍵盤から指示される風の通り道が、別の音色のパイプセットにつながるようにセットしておけば、曲想によって、いろいろと音色を変えて演奏することができるからです。

しかも、足で操作する足鍵盤もあります。これは、主として、超低音で曲全体を支える音を出すのが目的ですが、時として、両手で伴奏を弾いてしまうと、あと、旋律を弾きたくても弾く手がなくてどうにもならない場合でも、足で弾く鍵盤のストップを手で弾くための鍵盤に接続して、しかも、本来、足鍵盤から出る音をカットするようにしておけば、伴奏と旋律を同時に一人で弾く、という離れ業《わざ》も簡単にできることになります。

一つの例として、バッハ＝グノーの「アヴェ・マリア」を弾くときの譜例の一部を、次にご紹介しておきます。

オルガンの楽譜は、通常三段譜で書かれていますが、原則的には、上から右手、中の段が左手、下の段が足鍵盤です。

次のページの［譜例2］は、両手で伴奏を弾き、足鍵盤で旋律を弾く場合です。

この場合は、足鍵盤の発音ストップを切り、本来の低音が出ないようにして、足鍵盤をスイッチにして、上の伴奏で使用していない鍵盤に連結して弾きます。［譜例3］は、本来、左手で弾いていた伴奏部の一部を足で、その先につづく伴奏部を左手で、そして、右手で旋律を弾く演奏法です。

ここで、もう一つ付け加えておけば、ピアノでは、一つの鍵盤を弾くと一つの音しか出ませんが、パイプオルガンの場合は、先ほどもお話ししたように、どの音色のセットに通じるかを選択する複数個のストップを同時に作動させておけば、たとえ、押さえる鍵盤が一つであっても、いろいろな音を同時に鳴らすことができます。

［譜例 2］

Allegro moderato
arr. Haruo Saji
p legato
足鍵盤
A - - - - ve ma -
poco cresc.
ri - - - - - a

［譜例 3］

Moderato
arr. James Preston
p
足鍵盤

それゆえに、どのような音色を組み合わせるかによって、同じ鍵盤で同じ曲を演奏しても、まったく違った感じの音楽になります。オルガニストの技量には、指の動かし方のみならず、どのような音色をつくり、演奏するかが問われることになります。

したがって、演奏の前には、演奏時間をはるかに上回る時間を割いて、音づくりをしなければなりません。それも、ピアノとは違って、それぞれのパイプオルガンは、パイプの素材や種類、構造などが、すべて異なるので、一台一台ごとに、音づくりをしなければならないのです。私のような素人《しろうと》でも、全国各地でオルガンを弾くたびに、どの曲を、どのストップの組み合わせで弾いたか、ノートに記録しておかないと、再びそのオルガンを弾くときに、また、最初から音づくりをやり直さねばならなくなります。

このように、ストップの組み合わせによって、荘厳な広がりをもつ音になったり、キラキラ天空から音が舞い降りてくるような音色になったり、あるいは、澄み切った天使の歌声のような音、暖かい音、冷たい音、不安がみなぎる音など、自由自在に音色をつくれるところが、オルガン演奏の難しさでもあり、魅力です。

ちなみに、私が、おけいこやレクチュアコンサートなどで、好んで、使わせていただいているパイプオルガンは、「静岡音楽館ＡＯＩ」（静岡市葵区）にあって、フランスのアルフレッド・ケルン社が一九九五年に製作した手鍵盤三段、一足鍵盤で、パイプ数は２８６８本、ストップ数は41個の、すばらしいオルガンです。

★ヒトの脳を育てた恐竜

ところで、ゴリラ研究の第一人者として著名な知人によれば、ゴリラさんは相手とのコミュニケーションをはかろうとするとき、顔を近づけるのだそうです。

人間は離れていても、コミュニケーションをはかることができます。言葉をもっているからです。ところが、ゴリラくんは、集団のなかで「鼻歌」を歌いながら、和《わ》気《き》藹々《あいあい》としていることも知られています。専門家によれば、「歌」によって、互いにコミュニケーションを交わしているのだそうです。となると、「音」は、言葉が生まれる以前のコミュニケーション手段だったということにもなりますね。

このことを裏付けるかのように、私たち哺乳類《ほにゅうるい》の母胎《ぼたい》内での成長過程を調べてみると、五感のなかで、「聴覚」がいちばん長い時間をかけて、丁寧につくられていることが分かっています。赤ちゃんにとっては、母親の胎内は真っ暗ですから、視覚は機能せず、ただ、母親の血流や心拍の音など、耳からの情報だけが外の世界との接点で、聴覚が脳を育てているということのようです。私たち人間にとって、聴覚は、他の感覚器官に比べて、より重要な役割をもっているようですね。

この事実は、私たち哺乳類の祖先が、1億6000万年以上にわたって地上に君臨した巨大爬虫類《はちゅうるい》の陰で、細々と生きてきたらしいこととも関連していると考えられています。というのも、恐竜たちの化石を調べてみると、夜間視力と聴力が貧弱だったことがうかがわれますが、それゆえに、彼らは夜間の活動ができず、恐竜たちが活動しないその夜陰《やいん》に乗じて、哺乳類の祖先たちは、聴覚を進化させながら生き延びてきたと推測されるからです。そして、聴覚を通して、脳の進化が進んできたとも考えられています。

一方、視覚についていえば、爬虫類や鳥、そして魚などは色を感じる能力に長《た》けている錐状体《すいじょうたい》という細胞を四種類もっていましたから、絢爛《けんらん》豪華な昼間の色世界を生きてきたと思われますが、霊長類を除けば、哺乳類は、たった二種類の色識別細胞しかもっていません。私たち霊長類は、三種類です。そのかわり、色の識別は苦手だけれども、暗い闇《やみ》を見通すことができる桿状体《かんじょうたい》という視覚細胞を発達させてきました。

私たちには、夜空の星の色が鮮やかな七色に輝いて見えないのは、その名残です。暗い星を見上げるときには、感度はいいけれども、色の識別が困難な細胞が働くためです。ただ、望遠鏡を通して昼間の星をみると、感度は悪いけれども、色の判別ができる錐状体という細胞が働くので、美しく彩られた星の輝きを、見ることができます。

ここで付け加えておきますが、現在の私たちが豊かな色を感じることができるようになった理由は、かつて、樹上生活を送っていた時代に、色によって、食べられる食材の判別をする必要性に迫られて、赤、緑、青に感じる三種類の錐状体細胞をもつまでに進化した結果だと考えられています。

さて、人間にとって、音は、原初的なレベルでのコミュニケーション手段であるという意味が見えてきました。

ドイツの詩人リルケは、一九一八年、「音楽によせて（An die Musik）」という詩のなかで、（音楽は）「言葉が絶えたときにはじめて響く言葉（Du Sprache wo Sprachen enden）」だとうたいあげています。参考までに全訳を書いておきましょう。

音楽は　立像の群れの息づき。あるいは
絵画から湧《わ》く静寂。あらゆる言葉が

絶えてはじめてひびく言葉。むなしく消えゆく
心の方向に垂直に立つ時間。

誰に向かう感情か？　ああ何に変貌しようとの感情か？
——聴こえる風景に。
おまえ未知のもの、音楽よ。私たちを超えて
ひろがる心の空間。私たちを凌駕《りょうが》して溢《あふ》れ出る
私たちの最奥の内部のもの、そしては浄らかな別離よ
——そこで内部は私たちを離れて外側にめぐり立つ
この上なくみごとな遠景のように
裏返された空気にも似て
純粋な
巨大な
もはや私たちの住み得ぬ気圏。

（著者訳）

確かに音は、絵画のように、一つの空間に残ることはありません。時間とともに、過ぎ去って消えていく芸術です。しかし、過ぎ去るという内部に対しては、流されることなく、「垂直に立ち、留まる時間」だというのです。

そして、音楽は、人の最も深いところに存在する感情として、遠く鎮まりかえる遠景のように、私たちの日常とは異なる、高い次元の「気圏」となって存在するというのです。きわめて、哲学的、抽象的な表現ですが、音楽がもつ崇高な魔力とでもいうものを、リルケは美しく謳歌《おうか》しています。

最近、日本でも、統合医療の最先端として、ようやく「音楽療法」が注目されるようになってきました。そして、今までの治療ではどうにもならなかった病気の回復に、音楽がすさまじい効果をあげている実証例が報告されるようになりました。そのポイントは、言葉よりも以前の段階で、直接、脳に働きかける〝音〟が人々の内部感情に影響を与えていく、というところにあるようです。

普段、私たちの生活を考えてみても、歌を例にとれば、まず、歌詞を忘れます。その次には、旋律が曖昧《あいまい》になり、最後まで、残っている音楽的要素は、リズムです。そのリズムとは、心臓の鼓動、あるいは、呼吸のリズムに呼応するように、外部から揺さぶられる揺りかごのリズムであり、幼少時に母親の腕のなかで揺られていたころの記憶です。

それは、年老いて認知機能が低下した時点においても、確かに残っており、その本人に特有なリズムを外部刺激として受け取ると、突如、過去の記憶が蘇《よみがえ》り、論理思考が戻ってくるという結果が、臨床例として報告されています。音や音楽の要素が、いかに人の心の深いところと関わっているかを示す驚くべき事例です。

こうして考えてみると、「時間の流れ」という音楽のなかに、みずからの人生を重ねることは、逆説的表現ですが、〝過去を振り返ることは、なつかしい未来をつくること〟であり、そこに、永遠の時間を感じるといっても、言い過ぎではないでしょう。

あるいは、〝思い出の中にみる未来（ちょっとリルケさんっぽく、ドイツ語でいうならば、“Die Zukunft der Erinnerung”）〟といってみたい気もします。

改めてお話しするまでもないことですが、私たちは、「見る」「聴く」「味わう」「嗅《か》ぐ」「触れる」という五感を通して、外界と接しています。ところが、最近の傾向をみると、なかでも「見る」、つまり視覚が、重要視され過ぎているように思えてなりません。熟語を見ても、見学、見識、見物、見当、見地など、「見る」ことによる世界認識が優勢です。その究極は、「百聞《ひゃくぶん》は一見《いっけん》に如《し》かず」ですが、ほんとうにそうでしょうか？

実は、「見る」ことを重要視するようになった背景には、科学技術の進歩が、「なんでも見せてくれるようになった」ことが挙げられるでしょう。

私たちがもち合わせている目ではとても見えない極微の世界、微生物や電波などすべてを、科学は「見える世界」にしてしまいました。この傾向が行きすぎた結果、「見えないものは、信じない」という考えが蔓延《まんえん》していったのでしょう。

しかし、確かに存在していることは分かっていても、見えないものはたくさんあります。その代表例は、人の痛みや悲しみでしょう。

しかし、人間の「考える」という能力は、直接、見えないものであっても、見える周囲の状況から、見えないものの実体を、論理的な推測によって、見極めることができます。それが、科学的なものの見方です。言葉をかえれば、「ものごとを多角的に見て、考える」ということです。

これを五感に当てはめてみると、「見えないもの」を、「他の聴こえることから見る」ということも可能になります。

秋きぬと目にはさやかに見えねども　風の音にぞおどろかれぬる

『古今和歌集』に収録されている有名な藤原敏行《としゆき》の和歌は、その代表例でしょう。紅葉を見るでもなく、気温の下がりを感じてというのでもなく、目には見えない風の音で、秋の訪れを知るというのですから、ほんとうに、お洒落《しゃれ》で、洗練された感覚です。

★聴覚と脳の深いところとのつながり

それでは、ここで、視覚と聴覚の比較をしておきましょう。

まず、ある色を見たときに、その色を構成している色の成分、たとえば、緑色を見たときに、そのなかに含まれている赤が、どれくらいか、そして青の成分がどれくらいかということを、一目で見分けることは、私たちには難しいことです。

しかし、違った音が同時に鳴っているときには、それぞれの音を分解して認識することは、容易です。たとえば、「ド」「ミ」「ソ」の音を同時にピアノで弾いてみると、それは、「ド、ミ、ソ」の和音として聞こえます。

それでは、知覚できる範囲についてはどうでしょう。

私たちの目にみえる光の範囲は、色でいえば、赤から紫までです。波長でいえば、赤い光はおよそ0・77ミクロン（ミクロンというのは、1000分の1ミリのことです）、紫の光はおよそ0・38ミクロンで、波長にしても、振動数にしても、見える帯域の幅は、およそ2倍で、オクターブしかありません。赤より波長が長い赤外線から電波などは、まったく見えません。同様に、紫よりも波長が短い紫外線やX線なども見えません。

ピアノの鍵盤でいえば、真ん中のドから、レ、ミ、ファ、ソ、ラ、シ、ドの範囲しか、見えていないわけです。

ところが、聴覚の方は、ピアノの鍵盤でいっても、いちばん低い左側の音は、振動数にして、およそ30ヘルツ、いちばん高い右側の音は、およそ4000ヘルツで、しっかりと聴こえています。それが、パイプオルガンになると、下は16ヘルツ、上は8000ヘルツというように、私たちの耳が認識できる範囲ぎりぎりまでの音域をカバーしています。

このように、聴覚は視覚に比べて、それぞれの構成成分を見極めることや、認識できる広さが、圧倒的に広いことが分かります。そのほか、認識できるエネルギーの幅に関しても、かすかな星の光からまばゆいばかりの閃光《せんこう》までの幅よりも、ささやき声からジェット機の離着陸音までの幅の方が、はるかに広いことが分かっています。

その一方で、視覚は、空間的な広がりを一挙に見渡すことができる能力をもっています。

しかし、聴覚は、音のつらなりですから、時間の経過を感じることしかできません。このことを別の視野から眺めれば、ある音の次には、この音というように、音のつらなりを聞くという点で、数学を解いているときのような論理的な思考と関連します。視力は不自由でも聴覚が健常である数学者など、自然科学者や芸術家がたくさん活躍しているという事実も、このことを物語っているのでしょう。

つまり、聴覚と脳の深いところとのつながりは非常に強く、特に３０００ヘルツくらいの音を聴くと、脳の視床下《ししょうか》部《ぶ》からドーパミンという物質が分泌されて、運動機能の円滑化や、精神的なリラックス感などをもたらすことは、よく知られています。

そして、さらには、セロトニン、ベータ・エンドルフィンなども分泌され、ストレスホルモンの抑制を行ない、陶酔感などをもたらすことも確認されています。聴覚は、自律神経系に直接影響を与えて、臓器の働きを促進する作用ももっているようです。

このような聴覚の有用性は、旧約聖書などのような宗教書のなかにも、見ることができます。

たとえば、旧約聖書『出エジプト記』の第二十章第四節には、「あなたは自分のために刻んだ像をつくってはならない」とあって、視覚に訴える神を禁じています。

恐らく、人間は、見えるものに対して絶対的な信頼をおく傾向が強いために、もし、神の姿が見えるとなると、自分に都合のいい神をつくり出してしまうことを懸念してのことだったのかもしれません。

あるいは、同じく『申命記』第四章第十二節には、「主は火のなかから語られたが、あなたがたは言葉を聞いたけれども、声ばかりでなんのかたちもみえなかった」という記述があり、神は、決して姿を現さず、音を通して、人とコンタクトするものであることを強調しています。

ヘブライ語で、闇のことを「ホシェフ」といいますが、それはまた、同時に「神の住処《すみか》」という意味を併せもつ言葉です。さらに、興味深いのは、音は見えないがゆえに、沈黙が意味をもってくるということで、それは、『詩篇』第十九章第四節から五節にかけて、「語らず言わず、その声、聞こえざるにその響きは全地にあまねく、その言葉は地の果てにまで及ぶ」と書かれています。

それはまた、「饒舌《じょうぜつ》な語りは沈黙の彼方に」という表現で、「沈黙」の重要性を指摘した、マックス・ピカート（一八八八〜一九六五）の言葉にも反映されています。

★そもそもなぜ「ドレミファソラシド」なのか

さて、ここからは、少し音楽の基本をおさらいすることにしましょう。

（ただし、「楽譜が苦手！」という方は、一二五ページまでは、どうぞ読み飛ばしていただいて結構です）

まず、私たちは、楽譜を書くときに、5本の線を使って、そこに音符の記号を書きとめて、音の高さを指定します。いったい、なぜ、5本なのでしょうか？

その理由は定かではありませんが、あえて想像をたくましくすれば、ものを数えるには、手の指の数が基本になっていますから、「五線」にするのが妥当だと考えたのかもしれません。それは、人間の目にとって、正確に速く位置確認ができるパターンは、5本が最適限界だと思われるからです。

しかも、「五線」は、線の上だけでなく、線と線の間も使えば、9個の高さの音を書き記すことが可能になり、また、線からはみ出た場合には、補助線を引けば、2オクターブ近くの音の広がりを書き込むことができますから、充分だということになります。

なぜなら、私たちが出すことができる声の範囲は、およそ、2オクターブのなかにおさまっているからです。

ところで、私たちが見慣れた、「ド、レ、ミ、ファ、ソ、ラ、シ、ド」という音階の基本形は、どこからできたのでしょうか？　音楽の専門書を見ると、古代ギリシャの旋法などを引用しながら、難しい理屈が書いてありますが、ここでは、もっと単純に数学の立場から考えてみることにします。

前に、なぜ「ド、ミ、ソ」の音が基本になるのかというお話をしました（八三ページ）。もう一度、繰り返しますが、両端を固定した一本の弦をはじいたとき、ドの音がしたとします。そこで、その弦の長さを半分にすると、先ほどの音の1オクターブ上の高い音が出るようになります。つぎに、弦の長さを3分の2にすると、ソの音になります。つまり、音の波長が3分の2になれば、振動数は、2分の3倍、すなわち、前の音から数えれば、振動数の比が、「1：2：3」になっています。

ここで、再び、想像をたくましくすれば、弓で矢を打ったあとで、弓のつる、すなわち弦が、ビーンとなる音の高さがヒントになっていた可能性はあります。つるの長さを半分にすると、オクターブ高い音になり、3分の2にすれば、前の音と協和する音、つまり、はじめのドに対してソの音が出ることに、気づいたのかもしれません。

郵 便 は が き

料金受取人払郵便

神田局
承認

7173

差出有効期間
2024年11月30
日まで
（切手不要）

101-8791

535

千代田区外神田
二丁目十八—六

春秋社

愛読者カード係

＊お送りいただいた個人情報は、書籍の発送および小社のマーケティングに利用させていただきます。

(フリガナ) お名前	歳	ご職業
ご住所 〒		
E-mail 小社より、新刊／重版情報、「web 春秋 はるとあき」更新のお知らせ、イベント情報などをメールマガジンにてお届けいたします。	電話	

※**新規注文書**（本を新たに注文する場合のみご記入下さい。）

ご注文方法　□**書店で受け取り**　□**直送(代金先払い)** 担当よりご連絡いたします。

書店名	地区	書名		
				冊
				冊

ご購読ありがとうございます。このカードは、小社の今後の出版企画および読者の皆様とのご連絡に役立てたいと思いますので、ご記入の上お送り下さい。

〈書　名〉※必ずご記入下さい

●お買い上げ書店名（　　　　地区　　　　　　書店　）

●本書に関するご感想、小社刊行物についてのご意見

※上記をホームページなどでご紹介させていただく場合があります。（諾・否）

●ご利用メディア

新聞（　　　　）
SNS（　　　　）
その他
メディア名
（　　　　）

●本書を何でお知りになりましたか

1. 書店で見て
2. 新聞の広告で
　（1）朝日（2）読売（3）日経（4）その他
3. 書評で（　　　　紙・誌）
4. 人にすすめられて
5. その他

●お買い求めになった動機

1. 著者のファン
2. テーマにひかれて
3. 装丁が良い
4. 帯の文章を読んで
5. その他
（　　　　）

●内容

□満足　□不満足

●定価

□安い　□高い

●装丁

□良い　□悪い

●最近読んで面白かった本　（著者）　　　（出版社）

（書名）

㈱春秋社
電話 03-3255-9611　FAX 03-3253-1384　振替 00180-6-24861
E-mail : info-shunjusha@shunjusha.co.jp

実は、現在、私たちが使っている「ド、レ、ミ、ファ、……」という音の列、つまり音の階段（音階ですね）の基本形は、今、お話しした振動数「1：2」のオクターブと、振動数「2：3」のド、ソの関係（難しくいえば「完全五度」の音程です）を繰り返し使うことで、でき上がることが分かっています。

そこで、音階をつくる方法ですが、まず、基準になる音（主音）の振動数の2倍、すなわち、主音と振動数が「1：2」になるような音、いいかえれば、オクターブ上の音をつくります。これで、下の「ド」から上の「ド」までの枠が決まりました。次に主音と振動数の比が「2：3」になるような音をつくります。これは、弦の長さを3分の2にすればいいですね。振動数にすれば、2分の3倍です。これで「ソ」の音が決まりました。

今度は、この「ソ」の音と振動数が2分の3倍、すなわち「2：3」になるような音を決めます。それは高い「レ」の音になりますが、先ほど決めたオクターブの枠からは、少しはみ出てしまいます。そこで、振動数を「2：1」のように半分にして、オクターブ下に移します。私たちの耳には、同じ「レ」の音であれば、メロディーを歌ったときでも、同じように聴こえるからです（もちろん、厳密にいえば、違って聴こえますが、ここでは、あまり厳しく考えないようにしましょう）。

この操作を譜例に書くと［譜例4］のようになります。

このように、振動数を「2：3」ずつ上げていき（「ド」の次は「ソ」、「ソ」の次は「レ」というように……）、最初のオクターブの枠からはずれたら、オクターブ下げて、元の枠に収めるように、この繰り返しを13回続けていくと、13回目には、はじめにつくった高い「ド」の音に近い音、具体的にいえば、「♯シ」になり、これは「ド」の音に近いので、一回りしたことになります。

つまり、オクターブの12等分ができたというわけですね。みなさんがいつも見ているピアノの白鍵、黒鍵の12個の配列ができたということです。

ただ、厳密にいえば、13回目に戻ってくる「♯シ」音と、最初にオクターブでつくった上の「ド」とは、半音の半分の、そのまた半分くらいずれていますが（きちんといえば、半音の違いを１００セントという単位で表したときに、13回目の音は、24セントほど高くなります）、それを、補正してきちんと12等分にしたものが、現在、使われている「平均律」と呼ばれる音階です。

オクターブが12の音で構成される音階の誕生です。その関係を、［譜例5］に示しておきます。

［譜例４］

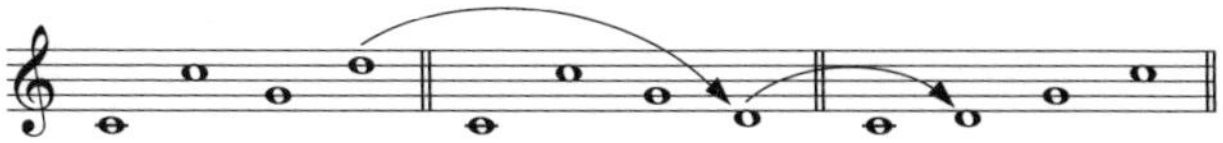

［譜例５］

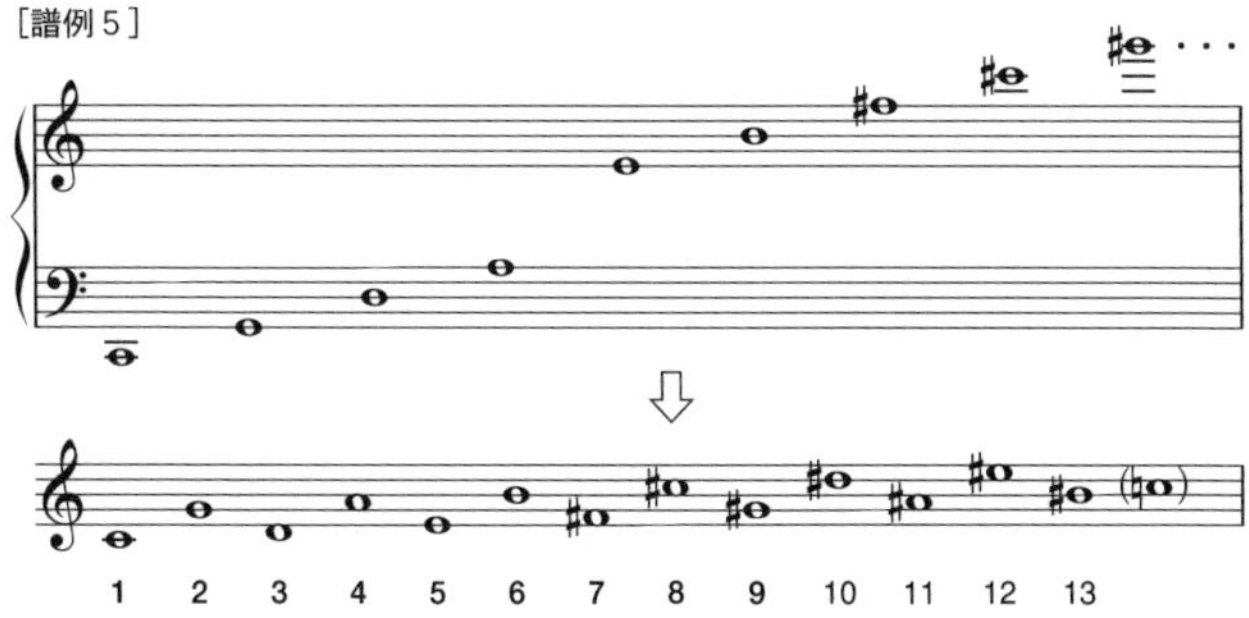

［譜例６］　ハ長調　(C dur)

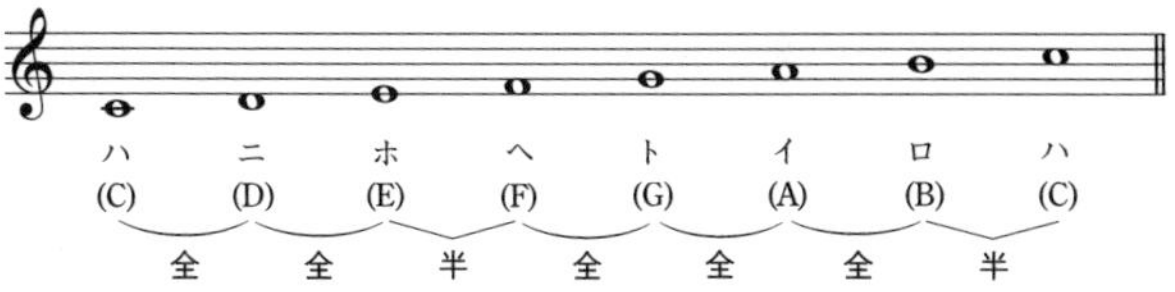

元々の音の範囲が広くなりますから、最初の音を、ピアノの鍵盤でいえば、真ん中のド（正確にいえばハ長調のド、あるいは、ハ、Cの音ですが）より2オクターブ低い音から出発したかたちで書いておきます。

ここで、この音の列のなかから12番目の「♯ミ」を「ファ」と考え、13番目の「♯シ」を「ド」だと考えて、あとの半音の部分を除いて書き直してみると、［譜例6］のように、ハ長調の音階ができます。

ここで、なぜ、ハ長調というのかといえば、この「ド」から「シ」までの音には、下から、括弧《かっこ》内に標準的なドイツ語表示と読み方を入れて書けば、

ハ（C《ツェー》）、ニ（D《デー》）、ホ（E《エー》）、ヘ（F《エフ》）、ト（G《ゲー》）、イ（A《アー》）、ロ（H《ハー》）

という固有の名前がついていて（これを「音名」といいます）、ハ長調は、その「ハ」音から「ド」が始まるので、ハ長調といっているのです。もし、「ト」音、すなわちハ長調でいう「ソ」から「ド」が始まる場合には、ト長調になります。

ここで、長調のことを、ドイツ語の音楽専門用語で〝dur〟といいますが、この表記を使えば、ハ長調は〝C dur〟で、〝ツェー・ドゥア〟と読みます。これに対して、短調は、〝moll〟といい、ハ短調は、ハを小文字の〝c〟で書いて〝c moll〟で、〝ツェー・モール〟

などと読むのが通例です。

昔、東京音楽学校（今の東京藝術大学音楽学部）の音楽学生や、美術学生などの間では、ドイツ語表記の「C、D、E……」などを、数字の「1、2、3……」に見立てて、不足する「9」（1オクターブは8音程なので）を「C《ツェー》ヌケ」と称して、値段や個数を示す隠語として使っていました。たとえば、「3000円」のことを「E《エー》セン」、「リンゴを八つ」の表現は「リンゴ、オクターブ」、などです。なつかしい思い出です。

さて、話を音名に戻しますが、厳密には、「ハ」のほかに「は」とか、「C」のほかに「c」とか、あるいは、その文字の上に点をつけたりして、ピアノの鍵盤でいえば、どのオクターブの位置なのかを区別しますが、ここでは、そういう決まりはないものとして話を進めましょう。

また、英語では、「ロ音：H」の代わりに「B」を使いますが、ドイツ語で「B」といえば、「♭シ」を意味しますから留意が必要です。この音名に対して、「ド、レ、ミ、ファ、……」などを音階の名前ということで「階名」といいます。

さてここで、今、得られた12音をピアノの鍵盤に移し変えて書いてみると、［図2］のようになります（鍵盤についている番号は［譜例5］と対応しています）。

［図2］

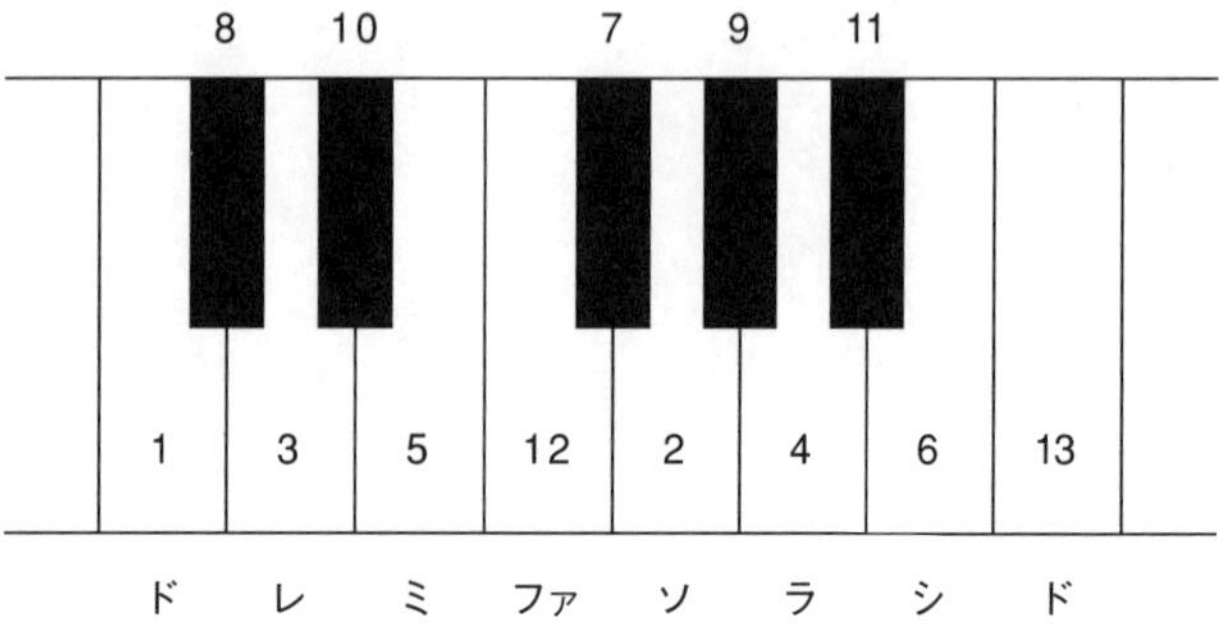

白鍵、黒鍵を含めて、隣り合う音の振動数の比は、「1：1・05946309436」です。ややこしい数のように思われますが、この数を12回掛け合わせると、ちょうど「2・000……」になるのです。つまり、下の「ド」から上の「ド」までの振動数の比が「1：2」になり、1オクターブを12等分したということになるのです。

ピアノの鍵盤を思い浮かべてください。間に黒鍵がないのは「ミ」、「ファ」と「シ」、「ド」です。これらの音の隔たりは、間に黒鍵がないので、たとえば、「ド」と「レ」の音の隔たりや、「ソ」、「ラ」の場合と比べると、半分になっています。つまり「半音」です。

これに対して、「ド」と「レ」、「ファ」と

「ソ」、「ソ」と「ラ」の間の隔たりは、いずれも、2音の間に黒鍵が入っているので、半音の2倍の間隔です。そこでこの2音の隔たりを「全音」といいます。

きちんといえば、「長二度」などともいいますが、専門的なお話は専門書に譲って、感覚的に進めていきましょう。

ここで、このハ長調の音階の隣り合う音の隔たりをまとめてみると、全音、全音、半音、全音、全音、全音、半音になっていて、これが、長音階の基本形です。

このような音階の並びが、なんとなく自然に感じられるのは、音の性質として、いつも、下の方に引っ張られる傾向があり、したがって、音の階段を上る時、その中間に踊り場のような半音があると、ほっと一息つけるからでしょう。

音の世界に、下に引っ張られる傾向があるということの理由は、高い音ほど発音体が緊張しなければならず、下降すれば緊張が緩むわけですから、音の空間にも、下向きの力、音重力のようなものが、いつも働いていると考えても、差し障りがないと思うからです。

私たちの日常の会話でも、話題が緊張してくると、音の高さ（ピッチ）が高くなり、安心すると低くなることは、みなさんも経験していらっしゃるでしょう。

次に、このハ長調の音階の並び方を基本にして、最初に始まる音、つまり主音を、どこにとれば、全音、全音、半音、全音、全音、全音、半音という配列に近い新しい音階ができるかについて考えてみましょう。

そこで、ハ長調の「ソ」に相当するところ（ト音、G）から始めると、［譜例7］のようになり、七番目の音を半音上げて（ハ長調の「ファ」に相当する場所に♯をつけて半音上げる）やりさえすれば、同じような形の音階が得られます。

この場合、ハ長調のソの音、すなわち音名ではト音から「ド」が始まっていますから、ト長調といいます。ここで、ハの音とトの音、つまり、ハ長調でいう「ド」と「ソ」の音は、振動数でいえば、「2：3」で、とても近い関係にあり、したがって、ハ長調とト長調は、親戚関係にあるといってもいいでしょう。

それでは、ハ長調のドからみて、振動数にして「3：2」になるように下げてみると、そこにはファの音があります。今度は、その音を基準にして、全音、全音、半音……という音のつらなりをつくるにはどうしたらいいでしょうか？

その答えは簡単で、ハ長調のシに相当する音に♭をつけて、半音下げれば、同じような音階ができます。

［譜例8］に示しておきます。

［譜例7］　ト長調（G dur）

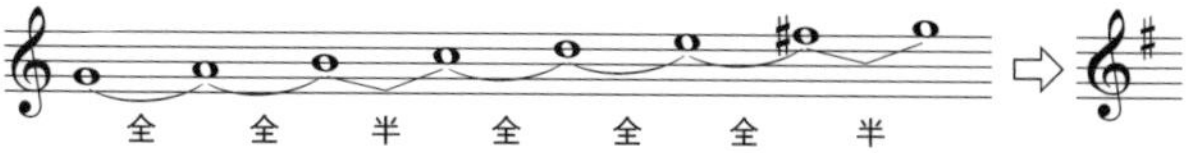

［譜例8］　ヘ長調（F dur）

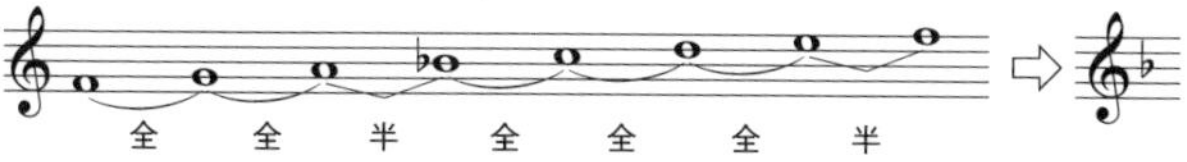

　ここで、基準となったファの音は、音名でいえば、ヘ音（F）ですから、これはヘ長調ということになります。となると、ヘ長調も、ハ長調の親戚です。したがって、実際の楽曲をみると、ハ長調からト長調へ転調したり、ヘ長調からハ長調に転調したりする場合が、多く見られます。それぞれの調は、近い関係にあるからです。

　それでは、ハ長調の音階で「ミ」に♭をつけて半音下げてみたらどうでしょう。

　なんとなく物悲しい雰囲気になりますね。この音階はハ短調ですが、短調の場合は、隣り合う音の隔たりが1通りに決められないところがあるので、これ以上、立ち入ることはひかえて、詳しいことは、音楽の専門書に任せましょう。

　ここで一つ、付け加えておけば、ハ長調の曲であっても、曲の途中で、気分を変えるために、親戚関係にあるト長調やハ短調に移行することによって、曲が、よりドラマティックになることを、心に留めておきましょう。

それでは、ここから、実際の音楽を理解するのに役立つ和音の立場から音楽の構造をちょっとだけ考えることにしましょう。

話を簡単にするために、ハ長調の音階、「ド」、「レ」、……をそれぞれ、音階の階段だと見立てて、［譜例9］に示したように、「I度、II度、……」というようにローマ数字でその音を表すことにします。

そして、その音の上に、［譜例10］のように、音を重ねてみましょう。

三つ重ねた和音を「三和音」といい、これが和音の原型です。I度の上につくった三和音、「ド、ミ、ソ」の和音を「I度の和音」と呼びます。「II度の和音」は、「レ、ファ、ラ」が基本形です。

三和音のいちばん上の音の上に、さらに音を重ねたものを7の和音といいますが、詳しいことは専門書に譲りましょう。よく使われる「V度の7の和音」といえば、「ソ、シ、レ、ファ」を重ねたものです。

［譜例９］

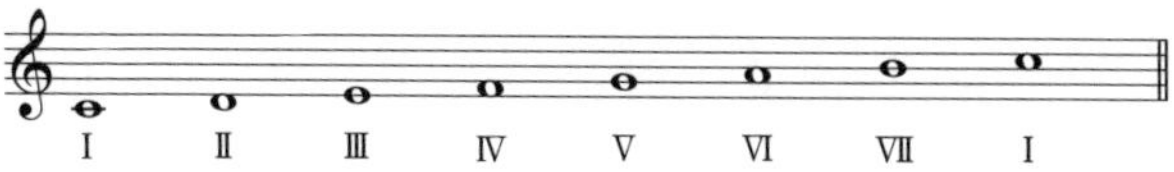

［譜例10］　３和音

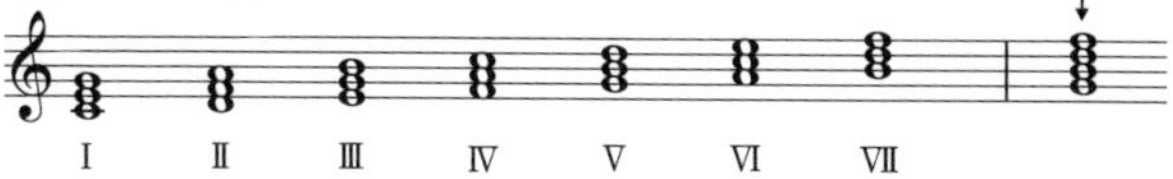

そこで、音楽の進行を考えるときに、たとえば、ハ長調で考えると、最初の「ド」音（Ⅰ度）を中心にして、高い方に２：３の振動数で上がると「ソ」（Ⅴ度）、低い方に、下がると「ファ」（Ⅳ度）になりますね。

　つまり、その音階の調を決める要素として重要な和音は、Ⅰ度、Ⅳ度、Ⅴ度の和音だということになります。

　この場合、Ⅰ度の和音を「主和音」「トニック（Ｔ）」、Ⅳ度の和音を「サブドミナント（Ｓ）」、Ⅴ度の和音を「ドミナント（Ｄ）」などと呼んでます。ほとんど、すべての音楽は、これらの「Ｔ」「Ｓ」「Ｄ」の組み合わせで進んでいきます。

［譜例11］に、ハ長調の場合の和音進行の例を挙げておきます。ピアノなどのような鍵盤楽器でぜひ弾いて、耳で確かめていただくことをおすすめします。

　この場合、和音を構成するそれぞれの音、たとえば、「ド」「ミ」「ソ」の重なり方が、「ミ」「ド」「ソ」になってみたり、

[譜例11]

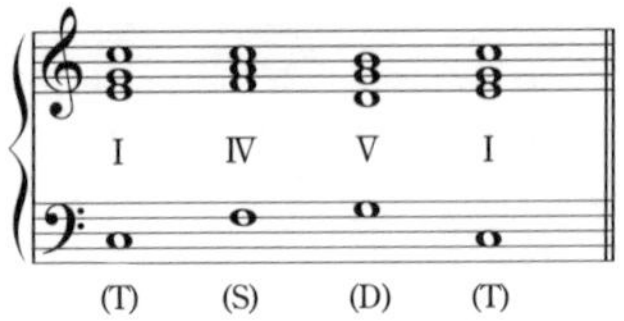

「ソ」「ド」「ミ」になってみたり、あるいは、同じ音が重複したりしますが、それらは、同じ音だとみなして議論を進めます。

ただし、同じⅠ度の音であっても、低音部、高音部にどういう音をもっていくかによって、音がかもし出す雰囲気は、まったく違ってくることを理解しておくことは、作曲や楽曲分析をする上で、とても重要なことです。

★「プレリュード」の中の音の配列を考える

それでは、ここで、実際の楽曲について、簡単に、その数学的性質を見ておきましょう。

とりあげる曲は、八九ページに、パイプオルガンで、伴奏と旋律を一人で演奏する場合の例としてもちだしたバッハ＝グノーの「アヴェ・マリア」の伴奏部分として登場するJ・S・バッハ（一六八五〜一七五〇）作曲による「平均律クラヴィア曲集、第一巻、第一番、ハ長調、プレリュード」です。

まず、この本の巻末の譜例をご覧いただければお分かりのように、楽曲全体は35小節からできていますが、最後の3小節を除いて、ほかはすべて、和音を分散したかたち（「分散和音」といいます）で書かれています。

ただし、実際の演奏では、22小節と23小節の間に、C・シェヴェンケという人が、1小節を挿入したものが弾かれる場合もあります。巻末の譜例には、その小節を「22'」、として入れてありますから、実質的には、36小節構成になっています。

さて、全体を通して見えてくるのは、一つの小節のなかには、一貫して一つの和音が持続していることですが、その途中では、先ほどお話したハ長調の親戚であるト長調や、ヘ長調に一瞬、移行したりしながら、曲は進んでいきます。

この曲の全体構成は、Ⅰ度、Ⅱ度、Ⅳ度、そしてⅤ度の和音だけでつくられていて、それらが微妙に交差し、転調しながら美しい曲の流れをつくっています。

一見すると、簡単なハ長調の分散和音の連続で、やさしい曲のように見えます。ところが、和音で見ると、五つの音がそれぞれ一つの線を描いて横に動いていくので、あたかも五部合唱（「五声の和声」といいます）のような構成になっており、演奏に際しては、それぞれの五つの声部を独立して聞き分けながら弾かねばなりません。

［譜例12］　第1小節〜

［譜例13］

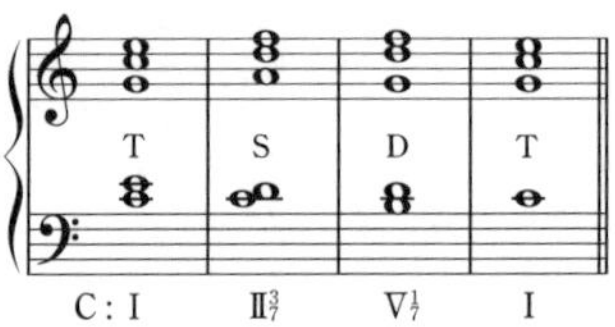

ですから、おそろしく、難しい曲だということになります。

まず、最初の4小節を見てみましょう。［譜例12］です。これを和音に書き直してみると、［譜例13］のようになります。

1小節目は、「ド、ミ、ソ」が構成音で、高い位置に「ド、ミ」が重ねられて五つの声部がつくられています。

2小節目は、ハ長調のII度の音「レ、ファ、ラ」の上に、もう一つドの音を重ね、レを重複した四つの音からなる七の和音でつくられています。そして、4小節目は、1小節目と同じ和音です。

この4小節をピアノで弾いてみると、単純な和音進行に見えますが、いちばんの山場は3小節目です。ハ長調のⅤ度の音「ソ、シ、レ」の音に、もう一つ「ファ」の音を重ねた7の和音で、「レ」の音が重複しています。

　これは、いちばん上の声部が、「ミ、ファ、ファ」と高い音に上り詰めるのがこの小節で、しかも、それをいちばん下の声部が、「ド、ド、シ……」のように下降して、全体の重心を支えていることからも分かりますね。

　和音の動きをまとめてみると、最初が、ドを主音とするⅠ度、次が、それに次ぐⅡ度、そして、Ⅴ度、その後、初めのⅠ度に戻るという形をとっています。

　つまり、先ほど、お話しした、和音の機能という立場からみれば、Ⅱ度の音は、Ⅳ度と同じようなサブドミナントの性質をもっていて、初めと終わりの和音である安定したⅠ度の音が、Ⅱ度のサブドミナント、Ⅴ度のドミナントという不安定な和音をまとめる起点と終点になっています。

　したがって、この4小節を、和音の機能でまとめれば、「T―S―D―T」、あるいは、音の度数で書けば、「Ⅰ―Ⅱ―Ⅴ―Ⅰ」［注］となります（［譜例13］の和音表示参照）。

　さて、次に示した［譜例14］は、5小節目から8小節目です。

［譜例14］　第5小節〜

［譜例15］

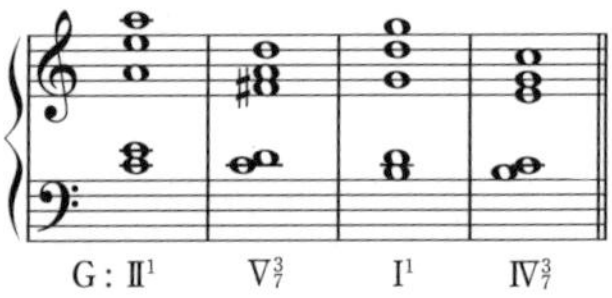

それぞれの分散和音を一つの音にまとめて書くと、［譜例15］のようになります。

5小節目の音は、「ド、ミ、ラ」で構成されていますが、これを、「ラ、ド、ミ」という音のかたまりだとすれば、ト長調のII度の音であるともみてとれます。事実、つづく6小節目のファには♯がついていて、ト長調のV度の音、すなわち、「レ、♯ファ、ラ、ド」になっています。いつのまにかト長調に転調していたのです。

そして7小節目は、ト長調のI度の主和音（ド、ミ、ソ）、ハ長調でいえば、「ソ、シ、レ」になっていて、明らかにト長調になったことを示しています。そして、第8〜10小節は、明らかにト長調の姿で過ごし、

第11小節では、ハ長調でいえば、「ソ、シ、レ」に相当するト長調の主和音（ド、ミ、ソ）になっています。

ところで、次の第12小節目は、♭と♯がついて複雑な形をしています。

まず、第13小節目をみると、ハ長調でいえば、「レ、ファ、ラ」のかたちをしていて、これはハ長調のII度の和音です。

しかし、それは、同時にニ短調のI度の和音でもあります。このことから、第12小節は、第11小節のト長調からの過渡的な転調だとも見てとれます。つまり、第12小節をニ短調のV度の音、しかも、7の和音上に、さらの音を重ねた和音（9の和音といいます）だと見ることができます。そして第14小節では、ハ長調のV度の9の和音になり、次の第15小節では、ハ長調の主和音、つまりI度の音で、もとの調に戻っています。

次のページ［譜例16］に第9～15小節までの原曲譜を、同じく［譜例17］に、その和音の動きをまとめておきます。

その後は終始、ハ長調のなかを揺れ動きながら終止へと向かいますが、第33小節目では、ハ長調のⅣ度の（サブドミナント）和音を分散し、つぎの第34小節目では、V度の（ドミナント）和音、最後の小節は、ハ長調、I度の和音で締めくくられます。

［譜例 16］　第 9 小節〜

［譜例 17］

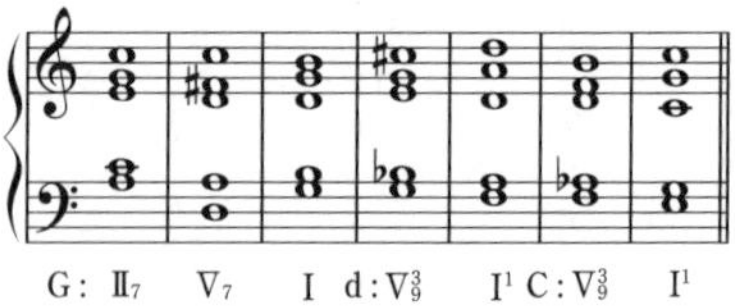

［譜例 18］　第 33 小節〜

［譜例 19］

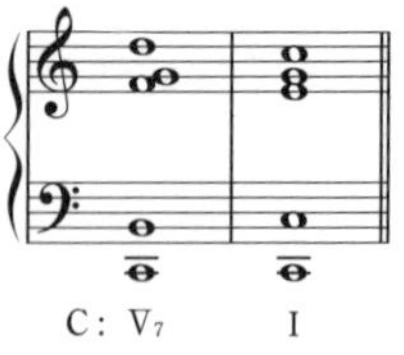

［譜例18］に原曲譜を、［譜例19］に和音進行を、それぞれ掲げておきます。

それと、この曲の面白さは、最低音の動きにあります。それは曲自体が、和音のつらなりでできていますから、当然のことながら、縦の和音全体の流れを支えるためには、最低音の存在が大きくなるからだと思われます。この低音の「ゆらぎ」を五線の上に書いてみると、安定した平地から、より安定した低い平地にごく自然に降り立ちながら、たどり着いていくときの気分を、彷彿《ほうふつ》とさせるような安心感のようなものが見えてきます。

その途中の上り下りには緊張感や開放感がありますが、それらは交互に混ざり合い、全体としては波間に漂っているときのような不思議な感覚、いうなれば、子守歌のなかに見られるような心地よさがみて取れます。その変化は、快適な山道の高低さの「ゆらぎ」にも通じるものを感じます。実際、この低音の「ゆらぎ」をグラフにして、数学的に解析してみると、恐らく偶然でしょうけれども、自然界のなかに多く見られる「$1/f$ゆらぎ」と呼ばれている変動を思い起こさせるような雰囲気があるのも、興味深いことです。

しかも、和音の進行は、極めて数学的ですから、曲全体は、数学を音で表現したような作品だともいえるでしょう。そして、曲の途中で、ふっと道草をとるような転調があったりして、それが、曲全体のすばらしい味つけになっています。

そういった曲の構成が、聞く人にとっては、天空からの音を聞いているような感情を喚起するのだと思います。哺乳類《ほにゅうるい》にとって、もっとも根源的な感覚としての聴覚を基盤とする音の「ゆらぎ」と、宇宙の普遍的言語ともいうべき論理の言葉としての数学、その両方を併せもつ音楽作品が、この、バッハの「プレリュード」なのです。

　こうして考えてみると、「音楽は情緒の数学であり、数学は論理の音楽である」と言っても、言い過ぎではないでしょう。

　一九七七年九月五日、ケープカナベラルから未知の大海原に向かって旅立った、太陽系外惑星探査機〈ボイジャー〉が、はるかなる地球外生命体と遭遇したときに備えて、地球からのメッセージとして、音楽が搭載された意味は、まさに、ここにあります。

　このバッハの「プレリュード」は、譜面をちょっと見ただけでは、いかにもやさしそうで、しかも、ピアノを弾き始めの初心者の教則本にもなっているソナチネアルバム第1巻にも収録されており、また、市販されているピアノピースや曲集では、いちばんやさしいグレードの曲であるとして明記されていますが、いざ、弾こうとすると、こんなに奥深く、難しい曲はありません。

　低音の「ゆらぎ」を感じながら、五つの声部の流れを独立して聞きながら演奏するなど、至難《しなん》の業《わざ》で、とても、私のような素人には、まったく手が出ませんが、にもかかわらず、「いつの日にか……」という想い止まず、夢見る毎日です。

［注］正確な表記をすれば、II度の7の和音の原型は「レ、ファ、ラ、ド」ですが、下の音を次々に3回、上にもっていって、下の音が「ド、レ」になっていますから、この和音は、II度の和音の第3転回位置になっており、それを「II^{3}_{7}」のように表記します。添数字の「7」は、7の和音を、「3」は転回数3を示します。同様に、3小節目のV度の音は「ソ、シ、レ、ファ」の四つの音からなる7の和音で、しかも、シの音が最低音になった第1転回形ですから、「V^{1}_{7}」のと表記します。つまり、正確に書けば、「$\mathrm{I}-\mathrm{II}^{3}_{7}-\mathrm{V}^{1}_{7}-\mathrm{I}$」のようになります。しかし、これは音楽の専門書ではないので、気にしないことにしましょう。

★みすゞの詩に「音」をつけて

それでは、まとめとして、とても単純なかたちをした曲を例にして、和声の進行などのポイントをおさらいしておきましょう。

昭和の初期、彗星《すいせい》のごとく現れて消えていった、天才童謡詩人、金子みすゞ（一九〇三～一九三〇）の作品「葉っぱの赤ちゃん」という詩に、素人の私が作曲した、ささやかな子守歌です。

「ねんねなさい」は
月の役。
そっと光りを着せかけて、
だまってうたうねんね唄。

「起《お》っきなさい」は
風の役。
東の空のしらむころ、
ゆすっておめめをさまさせる。

昼のお守《も》りは
小鳥たち。
みんなで唄をうたったり、
枝にかくれて、また出たり。

ちいさな
葉っぱの赤ちゃんは、
おっぱいのんでねんねして、
ねんねした間にふとります。

＊原詩は、旧漢字、旧かなづかい。

（『空のかあさま／新装版金子みすゞ全集Ⅱ』ＪＵＬＡ出版局刊より）

曲は、とても、簡単な構造をしていますから、分かりやすいと思います。

まず、この曲は、ニ長調で書かれています。私の独断でいえば、しずかなニ長調は、きらきらした光のなかで憩《いこ》う安らぎを、感じます。

基本的音階は、次のページの［譜例20］で示されている通りです。

長調ですから、全音、全音、半音、全音、全音、全音、半音の形にするために、ハ長調でいう「ド」と「ファ」の音に♯がついて、半音上げられています。基本的な和音の進行は、「Ⅰ－Ⅴ－Ⅰ」、そして、「Ⅰ－Ⅳ－Ⅴ－Ⅰ」という、最も単純で基本的な進行です。

［譜例20］ ニ長調 (D dur)

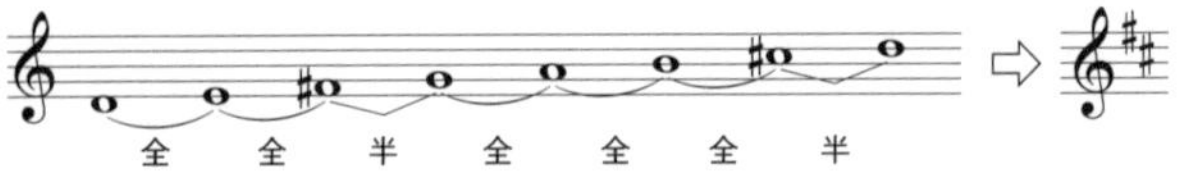

先ほど、［譜例11］に示したハ長調の和音進行を、一音上げてニ長調にしたものが、すべての基本になっています。ただし、Ⅴ度の和音は、ソ、シ、レ、ファを重ねた7の和音になっています。

1番の伴奏形は、揺りかごが揺れるように、低音と和音が交互に揺れています。その場合、低音が、高い音から低い音に進行する場合には、高音は低い方から高い方に向かい、音の重心が揺れないように書かれています。

そして、最後から4小節目、1番でいえば、「だまってうたう……」の部分では、「だまって」という歌詞と「うたう」という歌詞が矛盾していることを受け、旋律の流れを♭をつけることによって、一時、短調の響きにして、味つけしてあります。

2番では、伴奏形がさらに分散され、3番に移行する間奏としては、小鳥のさえずりを思わせる装飾音（短前打音）が使われ、左手の伴奏が分散和音になります。

そして、最後の4番では、基本的には1番と同じ伴奏形ですが、右手の和音が、アルペジオという奏法で、下から上にすばやく分散和音で弾き、終結部に向かいます。

そこでは、赤ちゃんが静かな眠りの国へ旅立つ様子を暗示するかのように、ソプラノ部分は上行し、バランスをとるために、バスは下行、途中、祈りの気持ちをこめた短調の和音を経由して、最終和音に導かれます。

巻末に、全曲を掲載しておきますので、実際に、ピアノで弾いていただくと、さらに理解が深まると思います。

4 「男」の役割、「女」の役割

★「性」の目的とは

物理学の立場からいえば、この世界のなかで、物体が安定して存在するためには、それぞれ相反《あいはん》する力が釣り合っていなければなりません。

端的な例を挙げれば、宇宙のなかに存在するプラス電荷とマイナス電荷の量は、ぴったり同じです。もし、違っていたとすれば、多くある方の電荷が相互に反発しあい、宇宙はこわれてしまいます。私たちが、安心して、椅子《いす》に座っていられるのも、地球が私たちを中心に向かって引っ張り下ろそうとしている重力と、椅子が、それに抗して、私たちの体を上方に押し上げようとする力とが釣り合っているからです。

実は、男性と女性も、同じです。二つの性の協力と反発がうまく調和して、人間世界ができています。「反発」といったのは、もし、それがなければ、暴走して破滅に向かってしまうでしょう?　安定には、相反する性質の共存が必要なのです。

それではここで、宇宙の創生から、動物の誕生、人間の誕生まで、壮大な物語として、記述されている旧約聖書をひもといてみましょう。『創世記』第二章第十八節から二十三節までの記述です。

「主なる神は言われた。『人がひとりでいるのは良くない。彼のために、ふさわしい助け手をつくろう』……（中略）……そこで、主なる神は人を深く眠らせ、眠ったときに、そのあばら骨の一つを取って、その所を肉でふさがれた。主なる神は人から取ったあばら骨でひとりの女をつくり、人のところへ連れてこられた。そのとき、人は言った。『これこそ、ついにわたしの骨の骨、わたしの肉の肉。男から取ったものだから、これを女と名づけよう』」

　聖書によれば、神は、まず、天と地をつくった後、陸と海をつくり、植物や星たち、さらには、生き物を、六日間でつくったと記されています。そして、野に草も生えてない現状を打破するために、それらを耕す働き手として、土のちりを集めて、〝人〟をつくったとされています。

　ただし、ヘブライ語の原典では、「ハ・アダム」となっており、定冠詞「ハ」がついた形で、性別は定かではありません。ついでにお話ししておきますと、「アダム」とは、「アダマー」（＝土）からつくられたもの」という意味です。

　さて、「人がひとりでいるのは良くない」との思いから、「女をつくった」ということですが、先ほどお話ししたように、ここでいう〝人〟は、性別をこえた存在のようにも思えますが、全体からみると、当時の教義が、男性原理から組み立てられていることからも、やはり、最初につくられたのは、「男（イーシュ）」だったとみるべきでしょう。そして、その「男」の一部から、「女（イッシャー）」をつくったというのです。

もちろん、この記述は、神話の世界でのことであり、何の科学的根拠もありませんが、最新の分子生物学によれば、この聖書の記述は事実とは反対であって、宇宙はまず、最初に女性を標準形としてつくり、そこから、必要性に迫られて、男性をつくったとするのが妥当であると考えられています。

太陽系のなかで地球が生まれたのは、今から46億年前だと考えられていますが、その地球上に生命が誕生したのは、およそ今から40億年前、しかし、生命が誕生してからの10億年は、すべての生物は単一の性で、あらゆるものがメスだった、ということが分かっています。

どうやら、オス、メス、つまり、男性、女性という性が生まれたのは、そのずっと後のことだったようです。「生物」の定義、すなわち「代謝、成長、繁殖」を行なうものが「生物」であると考えると、実は、性の存在は不可欠なことではなかった、ともいえます。

なぜなら、生物の最初の姿は、自分のからだを分裂し続けることで、生きながらえてきたからです。

それにもかかわらず、この地球上の生命圏に、性差が芽生えたという理由はどこにあったのでしょうか？

まず、性の本質は、と問われれば、それは、単に子どもを産むことだけではありません。自分のからだを分裂させて、クローンをつくっていくというクローニング、あるいは、コピーともいうべき「個体」をつくっていくことでもありません。「自分」と、「別の個体」との遺伝子を混ぜ合わせて、新しい遺伝子をつくっていくことが、性の目的です。

その理由は、刻々と変わる環境のなかで生き延びていくためには、それらの変化に対応できる新しい構造をつくっていくことが必要であり、もう少し具体的にいえば、自分たちの生存に威嚇《いかく》を与えるさまざまな要素に対して、抵抗力をつけ、防御《ぼうぎょ》体制を整えねばならなかったということです。

そこで、たがいに異なる遺伝子を組み合わせるということになりますが、まだ、この時点では、オスとメスとの必要性は希薄です。

ここで、オスとメスという表現をとるには、生殖に関わる二種類の性格の異なる生殖細胞が存在することが条件になりますが、それは、両者が合体して新しい生命をつくる際には、それぞれは単なる遺伝子を有する、ということだけでは不充分です。

生育に必要な栄養分をたっぷりもっている細胞に加えて、栄養はなくても、迅速に相手を見つける運動能力に長《た》けている細胞が共存していなくては、なかなか効率のよい生命の伝承はできません。

いいかえれば、適当な相手を見つけるためには、充分な栄養をもっていて、長く生き延びる能力をもち、自分と合体する相手を待ち続ける能力がなければなりません。

裏を返せば、自分の動きが鈍くなり、そのことが、迅速に相手を見つける可能性を低くしてしまいます。そこで、栄養分は少なく命も短いけれども、自分のからだの余分なものをそぎ落として、迅速で遠出ができる能力を備えた相手がいれば、とても都合がよくなります。それが、卵子と精子という性質が異なる二種類の細胞が存在する理由で、そこに初めて、メスとオスという性差の誕生をみるわけです。

生物の種類には関係なく、二つの性をもつ生き物ではすべて、ゆったりと栄養をつけて、生き延びながら待ち続ける卵子と、生き延びることは苦手だけれども、運動性能がすぐれていて、遠くにまで出かけていき、相手を見つけるチャンスが大きい精子をもっています。

しかし、性差をもっている生物といっても、魚や鳥のオス、メスと、私たち人間を含めた哺乳類《ほにゅうるい》のオス、メスは、違います。鳥などは、メスが卵を産みますが、それを温めてヒナにするのは、メスだけの役割ではなく、オスでもできることです。

ところが、哺乳類は、メスが、自分のからだの体液をミルクに変えて子どもに与えるということがなければ、子どもを育てることはできません。この性差の交換ができないという点が、哺乳類の特徴だともいえるでしょう。

それでは、メスだけで、子育てができるかというと、どうでしょうか？

メスが子どもを産んでも、他の生き物の捕食の対象になったりしてしまえば、生き延びられないわけですから、どうしても、集団をつくって、外敵から身を守る体制が、必要になります。

★「セクシュアリティー」と「ジェンダー」

特に、人間は、大変です。

離乳したからといって、まだ、ひとり立ちはできません。自分で生きるための食料の確保ができなければなりませんし、集団のなかで、他と仲良く暮らす方法の習得も必要です。

外敵から身を守る方法や、そのための住居づくりなども学ばねば生きていけません。そうなると、どうしても、集団、コミュニティーでの教育、協力が必要になってきます。

では、どうして離乳しても、ひとり立ちができないのでしょうか？

その理由は、人間の脳の大きさにあります。他の哺乳類と比較すると、からだの大きさに対する脳の大きさは、人間が圧倒的に大きいのです。この「大きい脳」をもつことは、四足歩行から二足歩行に移行し、直立することによって初めて可能になりました。そして、「大きい脳」は、「考える」ということを可能にします。いいかえれば、人間が、他の哺乳類と異なる大きな点は、「考える」能力をもつという点にあります。

ところが、そのような脳をもつことは、母親には難産を強《し》いることになり、ある意味では未熟な状態での出産をしなければならなくなります。それは直立によって骨盤の大きさが狭くなり、充分な広さをもつ産道の確保が難しくなったこととも関連します。そこで、生まれる前にしっかりとした脳をつくってしまうとすれば、それは大きく、しかも、頑丈な骨で保護されねばなりませんから、出産のときに、母親のからだを傷つけてしまうことになってしまいます。

したがって、子育てという視点だけから考えると、母親のそのまた母親や姉妹、といった人たちで構成される母系社会の方が、ずっと効率的です。

そういった生物学的な状況を背景にもちながら、一夫一婦制というシステムになってしまったことが、現代社会における男の役割、女の役割という点で、新たな問題を投げかけることにもなってきています。しかし、社会を安定に保つための条件としては、一夫一婦制のような、性の役割に対しての制約は必要であり、それらの狭間《はざま》のなかで、どうバランスをとっていくかが、豊かな社会を構築する上での大きな問題になるのでしょう。

そうなると、動物としての性差、すなわち「セクシュアリティー」とは別に、社会における性差、すなわち「ジェンダー」という概念が生じてきます。この両者をどのようにバランスさせていくかが、住みよい社会を生み出す要《かなめ》になるように思います。

考えてみれば、「ジェンダー」とは、その社会がつくり上げていくものですから、それぞれの時代によって、その定義が変わっていきます。男尊女卑になる場合もあれば、その逆もあります。これは、あたかも、一つの出来事をめぐって、それぞれの立場から善悪の判断などが逆転する状況と似ています。

たとえば、前の章にも登場しました、金子みすゞの、もう一つの詩を例にとって考えてみましょう。

雀のかあさん

子供が
子雀
つかまえた。

その子の
かあさん
笑ってた。

雀の
かあさん
それみてた。

お屋根で
鳴かずに
それ見てた。

＊原詩は、旧かなづかい。
（『美しい町／新装版金子みすゞ全集Ⅰ』ＪＵＬＡ出版局刊より）

人間の子どもが、雀の子どもをひろったという出来事が、「人間の母親」と「雀の母親」で正反対の明暗を分けています。ある見方からすれば、自分の子が、かわいい雀の子をつかまえたのを見て、人間の母親が笑う場面は、さほど不自然なことではありません。一方で、雀の母親が、子どもの未来を案じて恐怖と心配におののく姿も、自然です。

いったい、どちらが正しいのでしょうか？

恐らく、この場合は、人間が生きる世界と雀が生きる世界を、同じ地球の生物圏に生きる住人として、グローバルな視点からどう考えるかが、必要でしょう。

極端な言い方をすれば、宇宙的視野から、人間、雀の位置づけを考えることによって、こうあるべきではないのだろうか……という結論が出てくるのだと思います。

★女性の「強さ」と「寛容」の心

さて、話題を戻して、先ほどの「セクシュアリティー」と「ジェンダー」に関しても、地球上の生物として誕生し、進化を続けてきた結果、生じてきた違いとしての性差を認識するところから、より客観的な議論ができそうな気がします。

現代の社会でいわれている「ジェンダー」論争に耳を傾けてみると、どうも、「女は、か弱い」というような考えが、根底にあるように思えてなりません。しかし、それは間違いでしょう。一般的にいえば、どうみても、オスよりもメスは強いのです。

まず、生殖細胞の違いについては、先ほどお話ししたばかりです。栄養たっぷりで、ゆったりと長生きするのが卵子です。動きは鈍いのですが、しかるべき相手がみつかるまで、悠然と待ち続けるおおらかさをもっています。

一方、精子は、運動性能を確保するために、なるべく、からだの余分なものを脱ぎ捨てて、栄養分も少なく短命です。その役割は、命をかけて、相手を獲得するために、遠くまで遠征することです。死亡率もオスの方が高く、私たち人間の世界でも、女性の平均寿命が長いのは、みなさんもご存知の通りです。ゼロ歳児にいたっては、男の子の死亡率は女の子の死亡率の何倍もあるとする報告を見た記憶があります。一卵性の双生児では、女の子同士のカップルが断然多いでしょう。オスは免疫抵抗性も低く、異常も出やすいといわれています。

　オスは、瞬発力にはすぐれていますが、耐久力にいたっては、はるかにメスの方がすぐれています。かつて飛行機事故で、高空1万メートルから、アルプス山中の雪のなかに落下して一命をとりとめたのも、女性の客室乗務員でしたし、乏しい食料を分かち合って、冬山から生還したのも、女性グループでした。女性は強いのです。それも当然のことでしょう。とことん生き延びなければ、子どもを育てることなどできないのですから。

　事実、私が実際に見聞きしてきたことからいっても、あの第二次世界大戦のさなか、「買《かい》出《だ》し」といって、東京から近隣の農家に食糧と着物などを物々交換するために出かけたときに、普段は和服を着こなして静かなたたずまいをみせていた母が、当時、旧制中学校（今の高校ですね）の生徒だった兄がリュックで背負っていた以上の重さの食糧を風呂《ふろ》敷《しき》と手《て》提《さ》げでもって、帰ってきた姿を思い出します。女性は、強いのです。

　さらに、体力的なことだけではなく、精神的な強さに驚嘆させられる場面にも、よく出くわします。子どもも守るときの様相、それは、大切な人を守るためには、命を賭《か》けてでも秘密を遵守《じゅんしゅ》するという強さにも現れています。たとえば、坂本竜馬の妻であった〝おりょう〟さんは、竜馬の居所をつきとめようと敵方に拘束されたとき、拷問も辞さぬ勢いでの攻め立てにも、口を割らなかったといいます。

また、現代社会の特徴でいえば、たとえば失恋しても、その痛手から立ち直る期間は、男性より女性の方がはるかに短いようです。恐らく、種の保存のためには、ひとりの男だけには構っていられないということでしょう。これも、女性の強さです。

あるいは、その裏返しとして、知っていても、最後まで知らないふりを通す忍耐力もあります。それは、寛容の精神の裏返しだともいえるのかもしれません。あるいは、その寛容ということの裏返しこそが、究極の愛の姿だという見方もできるでしょう。それは、一方では、〝女性の怖さ〟にも通じる一面でもあります。

思い出すのが、新約聖書『コリント人への第一の手紙』第十三章第四〜八節です。

「愛は寛容であり、愛は慈悲深い。また、ねたむことをしない。愛は高ぶらない。誇らない。無作法をしない。自分の利益を求めない。いらだたない。恨みをいだかない。間違いを喜ばないで真理を喜ぶ。そしてすべてを忍び、すべてを耐える。愛はいつまでも途絶えることがない。」

そういえば、女性の愛には包容力があることの証《あかし》として、いえ、別の見方をすれば、その寛容さ、忍耐力のように目に映る行動の裏に見え隠れする、〝怖さ〟を感じさせる場面が、イアリアオペラの代表作、プッチーニ（一八五八～一九二四）の『ラ・ボエーム』のなかにありましたね。

少し、思い出してみましょう。

まず、このオペラの台本の元になったのは、一九世紀のパリに住んでいた小説家、H・ミュルジェ（一八二二～一八六一）が、一八四七年ころに、自伝にもとづいて書き下ろした小説『ボヘミアン（放浪芸術家）たちの生活風景』だとされています。このドラマが爆発的な人気を博したことから、プッチーニがオペラにしたものです。オペラそのものの台本については、G・ジャコーザ（一八四七～一九〇六）とL・イルリカ（一八五七～一九一九）が関わっています。初演は一八九六年です。

さて、おおまかなお話は、クリスマス・イヴの夜、パリのとあるアパートの屋根裏部屋に住む貧しいボヘミアンの詩人ロドルフォと、同じアパートに住む、美しいお針子の女性ミミとの恋物語です。

お金もなく、詩作も思うに任せず、といって、酒を諦《あきら》めることのできないイヴの夜、風で消えてしまったローソクの火を貸してほしいと、ミミが、ロドルフォの部屋を訪れます。病弱でせき込み、一瞬、気を失ったミミを、ためらいがちに介抱するロドルフォ。やっと生気を取り戻して火をもらい、部屋から出て行ったミミが、部屋の鍵を忘れたといって、再び戻ってきます。探す間もなく、ふたたび風がローソクの灯《ひ》を吹き消し、ふたりは、暗《くら》闇《やみ》のなかで、床に落ちたらしい鍵を探します。

そのうちに、手探りする手が触れ合い、ロドルフォは自分が詩人であることを語り、

「気楽な貧乏暮らしをしているけれど、愛の詩をうたい、夢を描けば、王侯貴族の気分になります。そして、ときたま、僕の宝庫から宝石を奪ってしまう二人組みの泥棒がやってきます。それは、美しいふたつの瞳《ひとみ》という泥棒です。今もあなたと一緒にやってきて、夢をさらっていってしまった。けれど、盗まれても悲しくありません。だって、そのかわり、甘い希望が住みつくんですから……」

と、いまだ見知らぬ彼女に抱いた感情を、吐露します。

ここで、歌われる有名なアリアが、「なんて冷たくてかわいい手」です。それを受けてミミが歌うアリアが、これまた有名な「みんな私のことをミミっていうの」です。

ミミは歌います。そして、「私は美しいバラの刺繍《ししゅう》などをして暮らしているけれど、悲しいのは、どんなに美しい花でも、刺繍では、香りがないことです」と嘆き、その一方で、「小さな部屋に住む私にとって、雪解けの後、はじめて輝く四月の太陽は私のもの。最初の口づけはわたしだけのものです……」とも歌います。

こうして、クリスマス・イヴの夜、恋に落ちたふたりですが、数ヶ月が経ち、やがて、病弱のミミが最期を迎える日がきます。

「私、まだ美しいかしら……」と呼吸困難にあえぎながら、ロドルフォに問いかけるミミ。「夜明けのように美しいよ」といって抱きしめるロドルフォ。しかし、ミミは、「そのたとえは違うわ。夕暮れのようにでしょう」と、最後の別れを告げます。

そして、その後、極めつけの言葉が出るのです。

「私の素敵なかわいいご主人様。今だから申せますけれど、あなた様、はじめて会ったあのクリスマス・イヴの夜、ずいぶん早くに鍵をお見つけでしたわ……暗かったわ……〝なんて冷たくてかわいい手、ぼくにあたためさせてください〟……っておっしゃったわね……。そして、あなたは、私の手をとったの……」。

やがて、息絶えるミミ。「ミミ！……」、ロドルフォの悲痛な絶叫で、幕が下ります。

いかがでしょう？　みなさん……。

ロドルフォは、ミミと少しでも一緒にいたいために、彼女の鍵をすでに見つけていたことを、黙っていたのでしょう。でも、それをミミは知っていた。そして、死の直前まで、知らないふりをしていたのです。

ここに、典型的な女性特有の姿があります。なんとも、心にしみる場面です。


いずれにしても、女性には究極の「強さ」と「寛容」の心があります。そして、それは、「種の保存のために必要な出産」に耐えねばならない、というところからきていることは間違いなさそうです。

★人間のからだの原型は女性

ある生物学者の話によれば、霊長類のメスのほとんどは、繁殖能力がなくなった後、生存している期間は数年だといわれています。

ところが、人間の女性は違います。その理由は定かではありませんが、クリスティン・ホークスという人類学者の説によれば、人間の女性は、ある年齢に達すると、自ら繁殖に関わることは止めて、それまでに蓄積した多くの智恵や経験を、娘や近くの血縁者たちに伝え、より効率よく、人類の繁栄に寄与してきたというのです。

人間の生存年数に換算して比較すると、人間の赤ちゃんは、チンパンジーよりも早く離乳し、早く生殖可能な年齢に到達します。それは、チンパンジーにはほとんど、「おばあさん」が見られないということと符合します。これらの状況から考えると、現代の核家族に代表される家族関係は、極めて自然の摂理と離反していることになります。

たとえば、子どもが熱を出したとしましょう。経験の浅い母親はおろおろするばかり、すぐに救急車の出動を要請します。ここで、もし、経験豊かな「おばあさん」がいたら、「今夜は、額《ひたい》を冷やしながら様子を見ることにして、もし、明日になっても容態が変わらなかったら、病院に行きましょう」というような助言ができるでしょう。

昨今の医師不足、医師の極度の多忙の要因の一つは、親たちの病気に対する認識不足にもあり、それは、経験者からの教育を充分に受ける機会がなかったことに原因があるようにも思います。いいかえれば、生活の智恵の宝庫である「おばあさん」と一緒に暮らすという人間本来の生活様式、すなわち拡大家族構造からの離反が、さまざまな、社会問題を起こしているということです。

ところで、「性の決定」は、どのようなプロセスで行なわれるのでしょうか？

実は、知人の生物学者に聞いたところ、その詳細は、まだ充分には分かってないということが現状のようです。私たちの遺伝情報は、すべて遺伝子の中の分子配列として書き込まれています。具体的にいえば、22対《つい》の常染色体と1対の性染色体、まとめていえば、23対の染色体の中にかき込まれています。

性の決定には、この23番目の染色体が関与していますが、それは、よく知られているようにＸＸという組み合わせとＸＹという組み合わせがあり、ＸＸが女性を、ＸＹが男性と関わる染色体です。

実は、哺乳類でいえば、性の決定は、三つの段階を経て行なわれます。

まず、女性としてのスタートです。ここで、父親の遺伝子と母親からの遺伝子を受け取るわけですが、この時の受精卵は、ＸＸかＸＹかの状態です。しかし、胎児《たいじ》の時期には、ＸＸ、ＸＹのいずれも、男性としての精巣をつくる能力と、女性としての卵巣をつくる両方の能力を兼ね備えています。そして、胎児が発生する時期には、男性、女性の性差はなく、子宮・輸卵管をつくるためのミュラー管と、精巣上体・輸精管をつくるためのウォルフ管の両方をもっています。

これが受精から6週間までの期間です。ところが、7週間目に入ったころ、Y染色体上にのっている性決定遺伝子ＳＲＹ（sex determining region Y）が、一度だけ作動します。もしそれが作動すれば、精巣がつくられ、ミュラー管形成の抑制が始まります。男性として起動する瞬間です。ＸＸの細胞は、そのままで、女性として卵巣形成を始めます。

ここで、特にお話ししておきたいのは、このＳＲＹが発見され特定されたのは、今から十数年前のことで、化学物質としての性質は明らかになっていますが、どこからの指令でスイッチが入るのかというような詳細は、いまだ霧のなかのようだ、ということです。それほど、性の決定については、まだ分かっておらず、その分、オスとメス、男性と女性という二つの性の存在は、神秘的なヴェールに包まれているのです。

さて、考えてみれば、人間の場合、受精から出産までは、およそ40週、そのなかの6～7週が、女性として成長するわけですから、実に、胎内《たいない》で過ごす時間の6分の1くらいを、女性として生きるわけです。

男性と女性の基本的なからだの構造は、まったく異なっているようにも思いますが、解剖学的にみると、ほとんど変わらず、外見的にも類似しているのだそうです。このことを別の視点から眺めてみると、人間のからだの原型は女性なのですから、その構造は完璧にできていますが、男性はその一部をいろいろと転用しながら、適当につくられている、という見方もできそうです。

たとえば、発生当初は女性として育つのですが、そのからだのなかには、女性としての機能を発揮する源となるミュラー管のほかに、男性にもなりうるウォルフ管がありました。しかし、女性になる指令を受けると、その男性になるために必要なウォルフ管は、尿道として転用して〝女性〟になります。しかし、〝男性〟は、ミュラー管をなくしてしまい、生殖に必要なウォルフ管を、尿道として共用するという構造を選択します。そういう見方をすれば、女性の方が、しっかりと緻密《ちみつ》につくられているといえるでしょう。

こうなってくると、この章のはじめに紹介した旧約聖書の言葉も、女性と男性を入れ換えないと、正しい記述ではないということになってしまいますね。しかし、聖書の世界と、科学の世界は別の世界のことですから、すべてを理屈で統一してしまうことは、かえって危険でしょう。ユダヤ教が興った時代は、男性中心の時代でしたから、そういった意味では、旧約聖書の言葉も、生きてくるからです。

また宇宙創生の話も、現代の宇宙論では、「無のゆらぎ」から、ふっと思い出したように、さりげなく、宇宙は生まれたとされていますが、旧約聖書には、神は、最初に天と地を創造したと書かれています。つまり、聖書の世界では、神は、この〝宇宙の外〟に存在する、特別な存在だったのです。時間についても同様です。

現代の最新宇宙論では、宇宙の始まりは、時間の始まりでもあるわけですから、「宇宙が始まる以前は、どうであったのか」という議論は意味をもたなくなりますが、聖書の世界では、神は、〝時間の外〟に存在する超越的存在として位置づけられています。したがって、宗教と科学を同じ土俵の上で論じることは避けねばなりません。

もちろん、究極的には、「この宇宙や人間とは、いかなる存在なのか」というテーマへのアプローチを試みているわけですから、目指すところは、さほど離れてはいないでしょうが、方法論が違います。

科学と宗教との対話を重ねるときには、たとえていえば「1メートルと1キログラムは、どちらが大きいか」などという議論にならないように、充分な吟味が必要です。

★消化管は〝からだの外〟にある

ところで、人間のからだを、数学の立場から眺めてみましょう。

トポロジーと呼ばれる数学の分野で、「位相幾何学《いそうきかがく》」ともいわれている、数学の窓からの考察です。これは、立体感覚を、単純なかたちに還元して、考察する学問です。

たとえば、ドーナツというものを考えると、分厚いピザのような物体の真ん中に穴を開けたのがドーナツのかたちです。一方、コーヒーカップを考えてみると、カップの部分はくぼんでいますが、これを仮に広げたとすれば、取っ手の部分とカップの部分の間には、穴が開いているように見えるでしょう。そこで、トポロジー的感覚でみれば、ドーナツとコーヒーカップは同じかたちをしている、といってもいいわけです。

そこで、人間のからだですが、トポロジカルに単純化すると、粘土細工で円柱をつくり、その内部に一本のトンネルを通したようなかたちになりますね。入り口は「口」、出口は「肛門」です。つまり、人間は、消化管を中心にしてつくられています。まるで、ミミズさんみたいですね。あるいは、「チクワ」と言った方が適当かもしれません。

となると、私たちがご飯を食べるといっても、ご飯が、からだのなかに入るわけではなく、ちょうど列車が、トンネルをくぐって走っていくようなものです。ただ、消化管というトンネルの壁から、栄養分がしみこんでいくということですね。

つまり、口、食道、胃、小腸、大腸、肛門と続く消化管は、からだの内部のように見えますが、〝からだの外〟だということになります。そして、耳、子宮、などのような器官は、皮膚の一部が陥没してできた行き止まりの袋のようなものです。ですから、これも、〝からだの内部〟ではありません。

それではここで、乱暴に脱ぎ捨てたズボンの片方が裏返しになっているところを想像してください。もし、私たちのからだの外側と消化管が裏返しになったら、どういうことになるでしょう?

急に想像するのは難しいかもしれませんが、数学的には、消化管を含めたからだの外側が全宇宙を覆ってしまい、私たちのからだのなかに、太陽も、月も、遠くの銀河も、極端にいえば、宇宙全体が包み込まれている、ということになってしまいます。

トポロジーの数学でいえば、今、私たちが生活している現在の環境も、宇宙が、からだのなかに全部入っているという状況と等価だということになります。

このような視点に立つと、幻想的ではありますが、人間と宇宙との関係が、よりいっそう身近になりますね。少し過激な言い方をすれば、こうなります。

〝宇宙は、すべて、あなたのからだのなかに入っています。つまり、宇宙を存在させているのは、ほかならぬ、あなた自身の存在です〟と。

そこで、さらに想像をたくましくすると、精神的問題を抱えているときなど、ご飯を食べられなくなったり、その逆に食べても食べても食べた気がしないというように、心と消化器系の関わりは大きいことから、人間のからだを支えている最も重要なコントロール部署は、消化器系の周辺に集中しているともいえるでしょう。

私たちが摂取する食事とは、〝心〟という神経系で食べている、ともいえそうです。そして、どうやら、人間の基本構造は、「チクワ構造」だということになりますが、実は、性差も、〝ある管〟の種類と関わりが深いことは、先ほどお話ししたとおりです。

繰り返せば、「男性を男性たらしめる」のはウォルフ管、「女性を女性たらしめる」のはミュラー管、そして、この管の出来具合から推測すると、人間の基本構造は、すべて女性であり、男性は、その一部を借りて、つくり直した再生作品だということにもなります。

しかしここで、自分自身を含めて、全世界の男性の尊厳のためにいっておきますが、だからといって、女性が高級で、男性が低級だという意味ではありません。

環境に強い種の存続という共通の目的のもとに、卵と精子の基本的設計が異なっていることからも分かるように、〝どちらの性も、同等に大切な存在である〟ことには違いありません。

★左右の脳をバランスよく使うのは

それでは、人間における性差が、いろいろの能力の面で、明らかな差異があるのかどうかということについて、考えてみたいと思います。

結論からいいますと、子ザルの研究で、オスを特徴づける男性ホルモンであるアンドロゲンを妊娠中の母ザルに注射すると、生まれてくるメスの子ザルが、オス的行動をすることが確かめられており、生まれつきの性差が行動に影響を与えることは間違いなさそうです。

人間の子どもの行動を、〝お絵かき〟という視点から見ると、女の子はカラフルで、モチーフは、主として、人、特に女性や、かわいいペットなどが多く、男の子は青や黒の寒色系で、モチーフは、クルマや飛行機などが多いようです。

また、男性と女性とで、道を覚えるパターンを調べてみると、男性は、行き先までの道順を空間的、俯瞰《ふかん》的認識を元にして覚える場合が多いのですが、女性は、ランドマークになる景色や建物で覚える傾向が強い、という実験結果があります。

これについては、左脳と右脳を繋《つな》いでいる脳梁《のうりょう》の後方部が、男性より女性の方が大きいからではないか、という論文もあります。それは、左脳と右脳との間の連絡がよくとれることを意味していて、そのために分析的で言語的な左脳と、情緒的で芸術的な感受性に長《た》けた右脳との間での情報交換が、男性よりも得意なためなのではないか、と考えられているようです。

それは、とりもなおさず、目の前で繰り広げられる、ちょっとした変化にも気づきやすいということでしょう。女性は相手の服装とか装身具、ちょっとしたしぐさの変化に、男性よりも敏感に反応します。恐らく育児などをこなすには、そういった能力が不可欠だからでしょう。その傾向は、言語能力についても、左右両方の脳をバランスよく使うのは、女性の方だといわれています。

また、共感性や論理的構築力などを比較してみると、女性は、共感力において、圧倒的に男性を凌《しの》ぎ、その代わり、ものごとをシステマティックに分解、解析する能力は、男性の方が、得意なようです。

さらに、頭蓋骨《ずがいこつ》の大きさを比べてみると、女性は男性よりも小さい場合が多いのですが、その分、大脳皮質の皺《しわ》が増えて、表面積を増大して、コンパクト、かつスマートな脳の構造をしているのが女性だともいえます。

このように、脳の働きについても、明らかに性差があるように思われますが、これは、人類の進化で、どのような役割を男性、女性が担ってきたかによって、形成されてきたのでしょう。男性は、狩猟に出かけなければなりませんから、〝地図〟の理解についても、空間的に記憶する力が必要になり、女性は、生活エリア近くのものを認識する力がなければ育児に関われませんから、そういった進化の過程から、脳の性差も生まれてきたのだと推測されます。

こうして考えてみると、男性と女性の性差は、身体的特徴や、出産などという特別な能力を別にしても、明らかに存在します。それは、発生の段階においても、最も合理的、かつ、賢明な方法として、卵と精子の分業を確立してきたところから考えても容易に納得できるとことです。

男性と女性との間には、どうしても、こえることのできない壁があり、だからこそ、男性と女性の共同作業としての社会生活の意味が芽生えてくるのでしょう。

女性は、自分の子孫をつくることが目的で、この世に誕生しました。そして、環境の変化にも耐えられるような子孫を産み出すための方策として、自分のからだを基本構造として、自分に似せた再生品として男性をつくりました。

それは、決して、〝男性に幸せを与えることを目的とした〟のではなく、あくまでも、〝強い子孫を迅速につくるための手段として、女性自身のためにつくった〟というのが、客観的な見方でしょう。そこに、「女性という性」のみが有する、見上げるような、そして、とても男性には及ばないような凄《すご》さがあります。

私たち男性は、女性によって、そのからだの一部からつくられ、今、こうして生きているというのが、科学的事実から見た現実です。

★人はなぜ戦うのか

ところで、「人はなぜ戦うのだろうか？」という根源的問いに対しても、「二つの性があった」ということが関わっていることは間違いないと思います。

確かに、動物の世界にも、闘争は存在します。しかし、それは、生きるための捕食を目的とする戦いが主であって、もし、それが、みずからのテリトリーを確保するための威嚇としての戦いの場合であれば、敗北のサインを出した相手を、どこまでも追いかけて殺戮《さつりく》に走ることはありません。

しかし、人間は違います。人間は、「愛」や「復讐」、「憎しみ」などという名のもとに、命を賭けて戦うことをします。この人間と動物との違いは、どこからくるのでしょうか？

それは、この章の初めのほうでもお話ししたように（一三八ページ参照）、哺乳類のなかで、人間だけが唯一、子どもを未熟児の形で出産するというところに原因があります。

もう一度、繰り返しますが、哺乳類のなかで、体のサイズに比べていちばん大きく発達した脳をもっているのは人間ですが、脳は、きわめて重要な器官ですから、強固な骨で保護されていなければなりません。そこで、もしそのような状態で出産するとすれば、母胎を傷つけてしまいますから、脳の周りが、自由に変形できる未完成の状態で出産するということになったのです。

ところが、未熟児としての誕生は、人間として一人前になるためには、出産後の教育が不可欠であることを意味します。それに加えて、生まれたばかりの子どもは、未熟な状態ですから、母親は子どもにかかりきりになります。その母親をサポートするためには、集団を形成することが有利であり、そのなかで、育児、教育、そして、食の共同作業を通して生活する、という形態が生み出されます。

この家族や共同体としての強固な結束、あるいは、その共同体への強い帰属意識が芽生えると、たとえば、その共同体への不利益な状況などが発生した場合、すぐさま戦いへと発展します。共同体が、民族、国家レベルにまで大きくなると、世界戦争にまで発展してしまいます。しかも、共同体のなかで培《つちか》われた仲間との絆《きずな》が強ければ強いほど、自分の家族や共同体のために、命を賭けるという特別な「戦い」、さらには「テロ」などを生み出します。これが、人間世界の「戦い」の特徴です。

それでは、このような「戦い」を回避する方策はあるのでしょうか?

これが最善かどうかということになると、疑問が残らないわけではありませんが、一つの考え方は、その共同体のサイズを、全世界レベルにまで拡大することです。全世界が、「一つの地球という船の乗組員である」といったような考え方で結束することができれば、すべての人たちが、運命共同体として、同じ方向に向かっているわけですから、戦いようがありません。そのためには、それぞれの民族が、他との差異をこえて、普遍的な位置づけを獲得することです。

そこに、宇宙研究の成果を、平和教育の一環として位置づける活動の意味があります。現代の最新宇宙論によれば、すべては、一粒の光から生まれたことが分かっています。そうして、１３７億年という長い道のりを経て、分化し、多様性に満ちた、今があります。同じものから生まれたのであれば、見かけは違っていても、たがいに関わっているのは事実でしょうし、そうであれば、一つの存在は、他の存在によって存在の明るみに出てくるのだということは明白でしょう。この事実は、たとえば水は、水からできているのではなく、水ではない他のもの、すなわち水素と酸素からできていることからも、充分、理解できることです。

風俗、習慣などが異なる民族同士、そこまではいかなくても、同じ国内であっても、違う地域の人たちと交流するのは、やさしいことではありません。

しかし、現代科学は、それらの分化以前には、「すべては同一であったこと」を示しています。重ねていえば、地球上に存在する生物、生命として、すべてが同等であることを示すのは、さほど困難なことではありません。世界中の人たちが、この最先端の科学が到達した世界観を理解すれば、戦いの回避は不可能ではないと思います。

★「地球家族」を目指して

前の章でも採り上げましたが、一九七七年、太陽系外惑星探査を目的として、NASAが打ち上げた探査機〈ボイジャー〉。

この〈ボイジャー〉は、木星、土星、天王星と旅を続け、それまでの私たちが想像もしなかったような星たちの姿を見せてくれましたが、一九九〇年二月、すべての探査を終えて、太陽系を後にするときに、振り返って64枚の太陽系の〝家族写真〟を撮りました。

そのなかの一枚に、65億キロメートルの彼方から、自分を生みだした〝お母さんという地球〟を最後に振り返って撮った映像があります。65億キロメートルの彼方から見た孤独な地球の姿です。65億キロメートルといえば、光の速さで走っても4時間15分はかかるという気の遠くなるような距離です。雑音のなかから浮かび上がったその写真には、小さな針の先ほどの地球が写っています。

今でも、この写真が送られてきたときに、しみじみ語っていたＮＡＳＡの研究官の言葉が忘れられません。

「諸君、この写真をよく見てほしい。この針の先ほどの小さな点のなかに諸君はいるのだ。諸君の家族も、かわいがっているペットもね。さらに、諸君と戦おうとしている敵も、このなかにいるのだ。すべてが、この小さな点のなかにいることを忘れないでほしい。しかし、よく見てほしい。この小さな点の周りには、暗黒の空間があるだけで、もし、この小さな点、つまり地球に一大事が起こったとしても、どこからも救援に来てくれる気配は、まったくないっていうことを！」

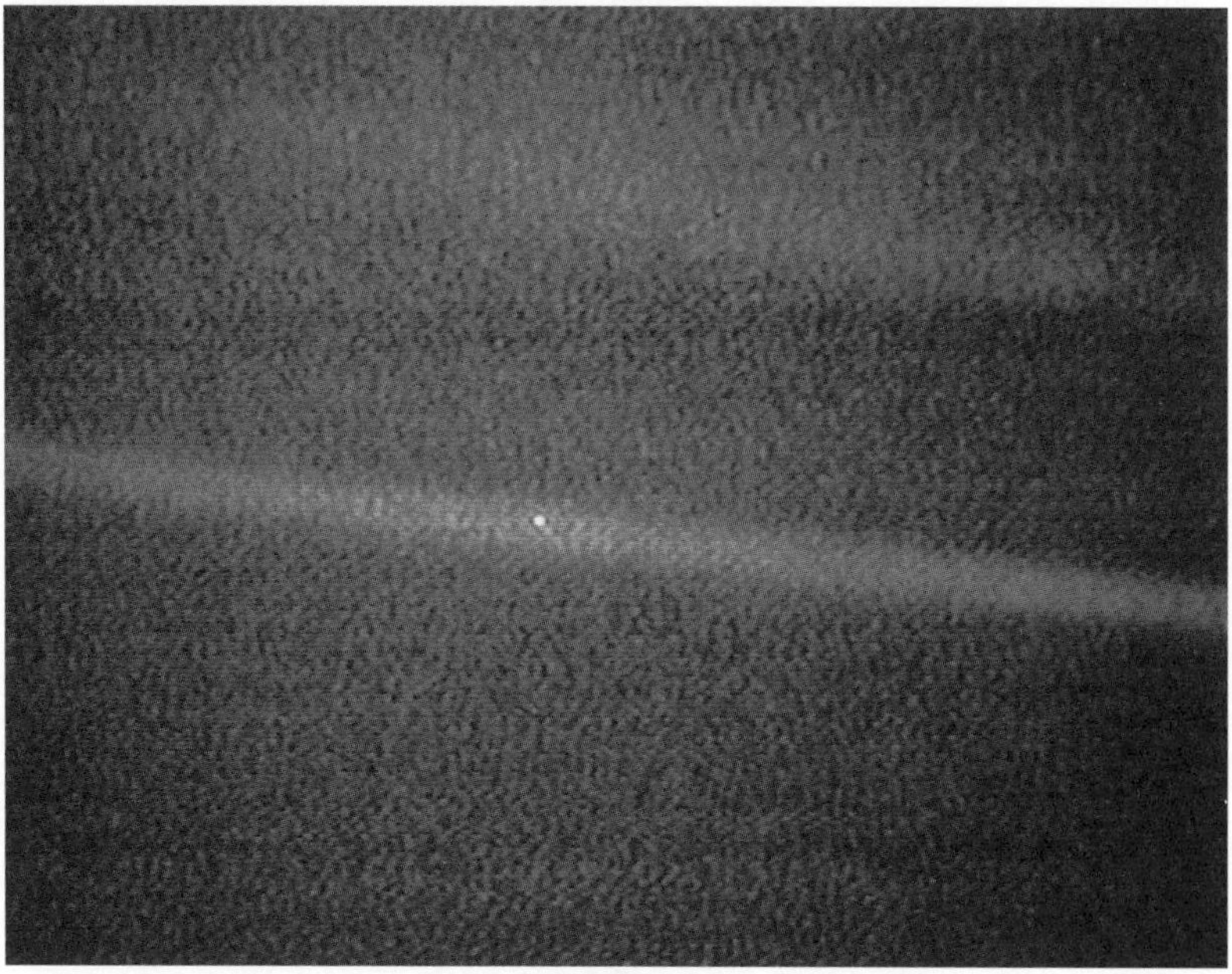

世界中のすべての人たちが、この写真を前に、このスピーチを聴いたとしたら、心を動かされない人はいないでしょう。

宮沢賢治も、彼の思想の集大成として記した『農民芸術概論綱要』のなかで、次のように言っています。

「……新たな時代は世界が一の意識になり生物となる方向にある
正しく強く生きるとは銀河系を自らの中に意識してこれに応じて行くことである
われらは世界のまことの幸福を索ねよう　求道すでに道である」

（ちくま文庫版『宮沢賢治全集第10巻』筑摩書房刊より）

まさに、現実に撮られたこの一枚の写真から、人々の心が〝地球家族〟という方向に少しでも向いてくれれば、戦いの回避は不可能ではないと思うのです。

★「共に食べる」ことの意味

さて、全世界の人々が、あるいは、ごく身近な人たちとの間でも、そのような相互理解は、おたがいのコミュニケーションを通して初めて可能になります。

そのコミュニケーションの基本形は、人類の誕生以来、どのようなプロセスを経て、現在に至ったかという経緯のなかに、見えています。

つまり、これまでお話ししてきましたように、未熟児としての赤ちゃんを産む羽目になった人間のおかあさんは、ひとりで生きていくことができないために、人間は集団をつくり、共同生活を余儀なくされるということになりました。

そこに芽生えた生活スタイルが、共に食事を摂《と》る、「共食」というかたちでした。「食べる」ということは、生物にとっては最も基本的な生命維持のための営みであり、前にお話ししたとおり、人間は消化管を中心とした生き物なのですから、その事実からも、「食べる」ことの重要さはうかがわれるでしょう。しかし、「食べる」ということは、生命維持という意味のほかに、重要なコミュニケーションとしての役割をもっています。

チンパンジーや犬、猫のような動物は、他と共に分かち合って食べるということはしません。自分だけで食べる「孤食」が通例です。人間は、それぞれの分業のなかで社会を築いてきましたから、たがいに分け合って食べるということが行なわれてきたのです。

そこには、「与える喜び」とともに、「与えられる喜び」があり、そこから、コミュニケーションの絆が生まれます。
「食べる」ということが、重要なコミュニケーションの一つであることは、生理学の立場からも明白な事実として、分かってきています。それは、先ほどお話ししたように、消化器官をとりまく神経系の働きとも関連します。つまり、生命維持のための生理的欲求としての「喰《く》う」から、より高度な精神性を求める「食べる」への変革をもたらしたものは、味覚の四つの要素、すなわち「甘い」「酸っぱい」「塩辛い」「苦い」に加えて「うまみ」の発見です。

実は、その「うまみ」とグルタミン酸との関係を解き明かし、食と脳との関係を明らかにして世界の脚光を浴びたのは、畏友T博士でしたが、T博士によれば、胃のなかには、脳に直接つながる検知部分があって、食欲のコントロールや顔の表情を司《つかさど》る神経の伝達系があるのだそうです。精神状態と食欲などとの関連が見事に解明されてきたわけです。

誰でも、おいしいものを食べることによって、表情がゆるみ、たがいのコミュニケーションの度合いが深まります。しかし、これは人間世界の話であって、チンパンジーは相手に食物を与えることはしても、人間のように相手と対等に分かち合う関係はつくれないといわれています。

群れをつくらない限り生きていけない孤独な私たちにとって、「共に食する」ことは、重要な意味をもっています。人間の食事の特徴は、与えることの喜びと、与えられることへの感謝の共存にあります。これからの食物栄養学には、健康に関わる臨床的な立場だけでなく、「平和な環境を招来するために不可欠な食事」という視点が、ぜひとも必要だと思います。

瞬時に世界とつながってしまう現代の高度な情報社会は、よりバーチャル（仮想的）で孤独な世界へと人々を追い立てています。そこに歯止めをかけるのは、共に分かち合う食事であり、「いただきます」「ごちそうさま」という言葉こそが、平和への合言葉になるといっても過言ではないでしょう。

さて、もう一つ、人間社会を築いてきた特徴は、共同体のなかでは、他者の子どもについても、自分の子どもと同じように保護し、教育をするということです。

それは、人間の世界では、子どもは未熟児として出産しますから、お母さんは、子どものケアにかかりっきりになり、生きるための基礎訓練など、すべてをひとりで行なうのは不可能だからです。一方、チンパンジーやペンギンなどの動物は、自分の子どものみの教育に専心し、他者の子どもの教育などには関わりません。もし、他者の子どもが危機に瀕《ひん》していたとしても、助けることをしません。

考えてみれば、人間は三代も経過すると、血縁関係という意識が急速に減少します。私たちの日常生活から考えてみても、祖父母までは、自分の血縁だという認識がありますが、それをこえると他者とかわらなくなります。その逆を考えてみると、自分の子と孫とでは、何かしら接するときの感覚が、微妙に違っていて、孫に対しては、その親に対する遠慮などから、他人行儀の雰囲気が漂いはじめるものです。ましてや、曾孫《ひまご》に至っては、ほとんど、他人の子ども、という感覚が強くなるのではないでしょうか。

このことを裏返して考えると、人間の親にとって、子どもは、自分の所有物ではなく、一時期、天から預かって育てているようなものだ、と考えるべきだという気もします。

つまり、他者の子どもに対しても、自分の子ども同様にケアし、育てなければならないし、それができるのが人間だということでしょう。このことが、たがいのコミュニケーションを深めることになり、ひいては、その集団全体の結束感を高めることにもなります。「教育」とは、共に育てることであり、「共育」ということでもあるのです。

ところで、人間とは、地上に存在する４５００種あまりの哺乳動物のなかで、唯一、

「考える」生き物だということは、先にお話ししたとおりです。

ここで、「考える」とは、ドイツの哲学者カント（一七二四〜一八〇四）の言葉を借りて、理性、悟性、感性という三つの能力をもつことである、としておきましょう。すなわち、この能力は、単に、本能に根ざす生物学的行動を規定するだけのものではなく、未来予測を含めた社会的な行動様式の源となるものです。

動物学者のデズモンド・モリス（一九二八〜）が、その著作『人間動物園』で指摘している表現にならえば、「裸のサル」から「人間」への飛躍は、まさに、この「考える能力」であり、その能力ゆえに、〝文化を創造することができる唯一の生き物〟としての人間が存在するわけです。

この「考える」ということの特徴は、「想像」できるということであり、それは、他者との関係において、自他をひっくり返して、つまり、言葉をかえれば、「他者のこと」を「自分のこと」として受け止めることができるということです。

これが、「共感」です。コミュニケーションにおいて、最も重要な根源をなすものです。これは、相手の気持ちを自分に投影することによって、「同情（sympathy）」から「共感(empathy)」へと自分の気持ちを変えていくということですね。臨床心理やカウンセリングの場面でよく使われる「同質の原理」といわれるものです。

★「なんでも二分法」で片付ける怖さ

実は、この「共感」と対極にある感情が、近年、いろいろの場面で乱発されている「人権」という言葉の影に見え隠れしているように思われてなりません。

本来、「人権」とは、単に自分の権利を主張することではなく、同時に相手の権利も認めるということでしょう。ところが、世情でいう「人権」という言葉のニュアンスには、自分の一方的な権利の主張ばかりで、相手に対しては攻撃性のかたまりになっている場合が散見されます。いっそのこと、「権」を「道」にかえ「人道」という言葉にかえた方が、「本来の人権」を考えるには、より適当なのではないかという気もしています。

この傾向には、すべてを二分法で片付けようとする現代の情勢が、反映されているように思います。

このところ、小学校、中学校、高校、そして大学と、立て続けに特別授業をする機会が続いていますが、そこで感じることは、高学年になるほど、他者とのコミュニケーションができなくなり、自己主張ばかりで、「自分は自分、相手とは無関係」という性向が強まるということです。

極端な例を挙げれば、聴講者にとっての講義者とは、まるでテレビの映像の1コマのように見えているようで、話し手が聞き手にコンタクトを求めても、無視どころか、あからさまに拒否される場合も少なくありません。

感想を求めて、マイクを近づけて答えを要求しようものなら、手であからさまに払いのけるのが通例です。飲み物を置いた机に突っ伏して眠るのは当たり前、講義の時間とトイレ休憩の区別もなく、教室は私語で沸き返り、ひたすら携帯メールでの〝おしゃべり〟、というのが、平均的な日本の大学の授業風景のようです。ここで、厳しく叱ろうものなら、〝人権侵害〟だとばかりに訴訟も辞さないというのが、現代日本の教育現場の実情でもあります。

このように、心の交流が難しくなってきている現代社会をつくりだしている背景には、いったい何があるのでしょうか？

どうやら、そこには、「なんでも二分法」という考え方があるように思います。つまり、たがいにからみあっていて、白か黒か決着がつけ難い問題であっても、「エイヤッ！」と、どちらかの結論を下さないと安心できないという心理的切迫感です。

たとえば、「人間と動物」は、生物の進化の歴史からいえば無関係だとはいえないのですが、それを峻別《しゅんべつ》してしまうと、〝人間は特別だ〟という独断に陥って、排他的な宗教にみられるような状況を生み出してしまいます。「善と悪」「自分と環境」なども同様です。「自分」を「自分たらしめている」のは、自分と他者、あるいは環境などとの関わりを通して構築される記憶、未来展望などです。これらがあってはじめて、自分という存在が確定します。つまり、自分と他者を峻別することはできません。

にもかかわらず、「二分法」に走ってしまうのは、文明が環境を変える速度があまりにも速く、その結果、私たちの処理能力をはるかにこえる量の情報の波に翻弄《ほんろう》されて、手っ取り早い「二分法」で決着をつけたくなるからでしょう。

元々自然界は、たがいに浸透し合い、調和して、相互依存によって存在しています。一例を挙げれば、原子核を構成する陽子と中性子も、別の存在でありながらも、中間子を交換しながら、めまぐるしく自分と相手を交換することによって存在しています。人間関係においても、「脱二分法」が、平和への条件の一つかもしれません。

そういえば、古代ギリシャの哲人アリストテレスが、「過大と過小との両極の正しい中間は、質的に次元の異なる新しい価値を生み出す」と主張し、それを、「mesotēs（中庸）」

である、としていたことを思い出します。

その思想は、中世ヨーロッパにおいては、神学、数学、芸術などを広く含む、いわゆる「リベラル・アーツ（liberal arts）」に反映されました。それは、極論すれば、東洋の禅などにおける価値観の基礎とも関連しています。

そういった意味からすれば、学問の健全な姿も、論理に裏打ちされた理性と、その対極にある感性で感じ取るという情緒のバランスのなかにこそあるのでしょう。その「判断をする心の働き」が、先ほどのカントの言葉を借りれば「悟性」ということになるのですが、現代は、理性と感性のバランスが崩れ、その代わり、「悟性もどきの感情」ばかりが、極度に肥大しているように思います。

ものごとを理解する、ということは、今までの学習や経験から、自分の知識として集積されてきたものに、新たな情報を取り入れ、そこで改めて、新しい知識のパラダイムを構築することですから、その背景には、学ぶ者たち個々人の考え方、感じ方が大きく影響しており、したがって、人間本来がもつ情感に訴える部分がなければ、真の理解には至りません。情緒が理性による理解を助長するということです。

しかも、ヒトの脳はとてもよくできていて、根源的には性善説を裏付けるようなつくりになっています。それは、復讐《ふくしゅう》や報復によって相手を傷つけても、決して、真の心の安泰は得られず、相手の喜びこそが、唯一、自らの幸せにつながるという特性です。

そのことに気づいたとき、「他との共感」を通して、「共存」の意味が明確になり、新たな未来人への第一歩が始まるのだと思います。

★音楽は〝壁〟をこえる

さて、コミュニケーションを深めるための方策として、先ほどから、

［1］共に食事をすること（共食）、

［2］共に育て合うこと（共育）、

［3］〝私とあなた〟から〝あなたと私〟、あるいは、〝あなたと共に（共感）〟

……がある、とお話ししてきました。

このうち、「共感」を目的としたコミュニケーションの有力な方法の一つが、3章で詳しくお話しした、音楽です。

繰り返しになりますが、音楽は言葉が発明される前に、すでに存在したコミュニケーションの方法でした。つまり、民族、言葉、風習などの〝壁〟をこえて、コミュニケーショ

ンを可能にする極めて有用な手段です。

にもかかわらず、わが国の教育行政では、基礎学力の範疇《はんちゅう》から、芸術関連、とりわけ音楽がはずされています。あるとき、高校の音楽教科書を見て、愕然《がくぜん》としました。掲載されている内容は、ピアノの伴奏譜もなく、ただ、いわゆるコードネームが記載されているだけで、これでは、都会の駅頭で、ギター片手に絶叫することだけが音楽だ、というような印象さえ与えかねません。

前の章で、詳しくお話ししてきたように、音によるコミュニケーションは、人類にとって、いえ、広く哺乳動物にとって、最も、古くから確立されてきた手法だということに、気づいてほしいものです。

実際の学校教育現場においても、学級崩壊に近いクラスだったのが、みんなで奏《かな》でる音楽が要《かなめ》になって、すばらしいクラスに生まれ変わったという例は、枚挙にいとまがありません。しかし、その陰には、筆舌に尽くしがたい音楽教師の苦労があります。

それは、教育委員会をはじめとして、校長、保護者などの無理解と、すべてにおいての〝ことなかれ主義〟が要因です。中世ヨーロッパにおける「リベラル・アーツ」とまではいかなくても、音楽が、重要正課の一つに掲げられる日を、待ち望みたいものです。

★「存在の重さ」は物理的な量では測れない

これまで、女性と男性との性差が意味することを中心にして、社会全般についてのお話をしてきました。その物語は、今から１３７億年の遠い昔、「無」としかいいようのないところから、一粒の光として、さりげなく生まれた宇宙に始まります。

そこから、今、現在までを、〝一年間の出来事〟にたとえて、カレンダーでまとめてみましょう……。

まず、一月一日の午前0時に宇宙が生まれたとします。膨張を続けながら温度を下げた光は、水素の霧となり、そこから初めての星が誕生します。桜の花が美しく咲いているころ、四月の上旬です。

やがて、それらが集まって銀河が形成されますが、そこで形成された最初の星たちが、燃料を使い果たして超新星爆発というかたちで、終焉《しゅうえん》を迎えたのが、アジサイの季節、梅雨《つゆ》のころです。この爆発によって、宇宙空間に、すべての物質の基《もと》になる元素がばら撒《ま》かれました。もちろん、「私たちの命をつくる材料」が宇宙空間に還元されたのも、このころです。

そして、原始太陽系が誕生するのは、晩夏、八月の終わりから九月の初めころでしょう。やがて、九月の半ばには、地球が生まれ、原始生命体が姿を現したのは、秋のお彼岸《ひがん》のころ、九月の下旬から一〇月ころです。

それから一ヶ月ほどは、生命は、自分のコピーをつくることに専念していました。つまり、まだ性別はなく、「無性生殖」とよばれる時代です。いいかえれば、すべてが、メスとして存在していた時代です。

そして、一一月の声を聞くころ、地球環境の変動にも耐えられる多様なかたちをした生命体を生み出すための方便として、「有性生殖」に切り替わりました。メスとオスの誕生です。やがて、一二月の半ばになると、初めての脊椎《せきつい》動物である魚類が生まれます。

クリスマスのころには、爬虫類《はちゅうるい》が現れ、やがて、恐竜の時代を迎えます。

一二月三〇日には、ようやく哺乳類が生まれ、「大晦日《おおみそか》＝三一日」になって、ヒトが出現します。

そして、三一日午後8時ころには、いわゆる「猿人《えんじん》」から二足歩行する「原人《げんじん》」へと進化して、脊椎で脳を支えることができるようになったために、〝大きな脳〟の形成へと向かいます。自然界の食物を色や香り、形態などで分別する智恵を獲得し、生活が豊かになっていきます。

午後10時を過ぎると、「ホモ・ハビリス（器用なヒト、という意味）」が誕生し、石器を発明します。午後10時半ころでしょうか。その10分後には、火を発見し、加熱料理を発明して、食生活も豊かになります。そして、夜行性動物から身を守ることができるまでになりました。完全な意味での、「ホモ・エレクトス（立って歩くヒト）」の誕生です。

午後11時50分くらいになると、土器を発明し、「ホモ・サピエンス（賢いヒト）」になっていきます。午後11時56分には、「新人」として、アフリカから世界への移動が始まり、原始宗教、言語、芸術などが誕生します。

やがて、午後11時59分30秒ころには、塩を使った料理をするようになり、農業が始まります。エジプトの文明が芽生え、人々がピラミッドを建てたのは、午後11時59分59秒ころです。

そして、あなたの人生の長さは……１００分の2秒くらいでしょう。まばたきする時間の10分の1以下です。

……このように列挙していくと、この悠久な宇宙時間のなかで、私たちの人生など、目にも止まらぬくらいの一瞬だということになってしまいます。

しかし、どんなに短い時間であっても、そこで、途切れてしまっていては、全体が完結しません。たとえば、長さ数十キロメートルに及ぶ青函《せいかん》トンネルも、最後の1センチの厚さでもトンネルを隔てる壁があっては、トンネルは完成しないのです。ものごとの存在の重さは、物理的な量では、測れないということです。そこに、「生命をもつもの」としての人間の尊厳があります。

ところで、現代社会に起こっているさまざまな問題を、このような人類の進化史の立場から眺めてみると、その原因の構図が見えてきます。

かつては、〝五月病〟といって、進学や就職で新しい環境になじめない時期の到来が五月にやってくるといわれていましたが、現代では、入社日、入学式当日に、新しい環境になじめなくなるというケースが目立ちます。恐らく、相手を受容することができない心の未熟さが原因でしょうが、これは、人類が進化の過程で学んできたプロセスを、幼少からの生活のなかで学ぶ機会がなかったことと関連しているように思います。

まず、最近では、家庭単位で食事を摂《と》る機会が激減しています。最近の文科省の調査では、朝食を家族とともに摂る児童の割合は、7%だそうです。「孤食」への回帰は、チンパンジーの世界への回帰だともとれます。

それでは、なぜ孤食になる傾向が強まっているのでしょうか？　それは、家族の形態が、世情を反映して、核家族化していることが挙げられるでしょう。

その核家族化の影響は、さらに、「共育」へのブレーキともなっています。世の大人たちは、自分の子どものことで頭がいっぱいになり、他者の子どもを追い落としてでも、世情にいう〝よい学校〟に入れようとし、運動会ともなれば、ビデオに収めるのは自分の子どもの姿だけというように、「他者との関わりにおいての自分の子」という視点が欠落しています。これも、チンパンジーへの回帰だとも見て取れます。

核家族化への道は、先ほどお話ししましたように、生殖年齢を過ぎても元気な「おばあさん」をもつ種は霊長類のなかでは人間だけだ、という事実からの離反を意味します。これもまた、チンパンジーの世界への回帰であるかのような様相です。

そうであれば、いっそのこと、チンパンジーの社会をモデルにしたらとも思いますが、「考える」ということを覚えてしまった人間は、チンパンジーにもなりきれません。現代とは、そういう難しい時代だと思います。

そこで、そういった状況からの脱却は、再び、宇宙の誕生から人類の進化、文化の形成という道筋に目を向けて、宇宙のなかにおける人間の位置づけをしっかりと再確認することから始める以外に方法はないでしょう。最先端の宇宙研究がもたらした結果から、人間を理解し、そこから豊かな未来を見据えていきたいものです。これこそが、宇宙研究のほんとうの目的であり、宇宙研究とは、人間理解の第一歩ともなる営みなのです。

人間とは、地球上に存在する４５００種あまりの哺乳類のうち、唯一、「教育されねばならない種」なのです。それは、「考える」ことができる唯一の生き物だからです。

★「二つの性」が分かり合うために

以上、お話ししてきましたように、女性、男性という性差には、宇宙のからくりが深く関わっていて、まったく別の存在ですから、この両者が、ほんとうに理解し合えるのかといえば、いろいろの問題がありそうです。

もちろん、私は、カウンセラーでもなければ宗教者でもありませんから、両性が分かり合える秘策を提供するなどということはできませんが、ここでは、自然科学という立場に限定して、私なりのお話をしてこの章をしめくくりたいと思います。

まず、なんとも動かしようもない事実は、宇宙は、最初に女性をつくった、ということです。そして、その後に、地球の環境の変化などに対応しながら、生き延びるための算段として、男性をつくりました。

自然発生的に〝つくった〟というより、女性は、みずからが生き延びるために、自分のために男性を〝つくった〟というべきでしょう。もちろん、この場合は、人として「考える」ことを獲得する前のことですから、ものごとを擬人化して表現するのは、避けたいところですが、結果としては、そのように思わざるをえません。そこで、もし、そうであるのならば、元々男性よりも、女性の方は、いろいろな面において、強く、完全に近い「つくり」になっているともいえます。

その一方で、〝女性が男性をつくった〟理由の一つは、単為《たんい》生殖をしようとして、結果的には失敗したからです。しかし、そこでつくられた男性は、女性のからだの構造を踏襲しながら、たとえば、命の素を供給する輸送管は、体内でつくられる老廃物を排出する管、すなわち尿道と共有する構造に再構成されていて、より単純な構造を目指しています。

このことが、女性の意思なのか、それとも、男性の意思なのか、大いに議論の分かれるところでしょうが、いずれも、双方が必要だったからこそ、〝つくられた〟ということは間違いないでしょう。

ところで、これも繰り返しになりますが、女性であることの証としての卵と、男性であることの証としての精子たちに、着目しましょう。

たくさんの栄養を蓄えて、長生きであり、風貌もゆったり、余裕の表情をみせる卵に対して、なんとも、やせっぽちで、命も短く、たがいの競争心も旺盛《おうせい》な精子たち。しかも、一個の卵を目指して、大挙してレースを行なう彼らの行動には、健気《けなげ》ではありますが、泣き笑い人生を象徴するような印象があります。それは、無垢《むく》で猪突猛進《ちょとつもうしん》型ではありますが、その飽くことなき冒険心と純粋な気持ちには、心動かされるものがあります。

こうして生物学的見地からの推考を重ねると、どうしても女性優位という評価が出てきます。女性は、いろいろの局面において、性の出発当初から男性をリードしてきたことに異論をはさむ余地はありません。

私たちは、日常生活を営む上で、女性と男性の発生において、今、お話ししたような歴史があることを認識する必要があります。男性は、細胞の時代から、遠く旅をする傾向を示し、女性は、泰然自若《じじゃく》として構えて待つ傾向をもっています。男性が旅をするためには、空間認識が必要であり、ものごとを大局的に把握しようとします。女性は、子育てをするという立場からも、身近なことに注意を払い、それらを感覚的に理解しようとします。
もし、男性に自由奔放さが見られるとするならば、それは、細胞の時代からの記憶なのか、それとも、女性からつくられたということを、無意識的に負い目として感じているからなのかは、議論の分かれるところでしょう。一方、女性は、子どもを産むという役割を担うために、忍耐強く、また、持久力を備えています。それにひきかえ、男性の力は、瞬発的です。

以上、お話ししてきたことは、いずれも、性差に基づく差異です。

そこで、これらの傾向が日常生活のなかに盛り込まれる場合、平和な環境を創出するためには、女性、男性の双方が、元々の違いを認識した上で、それらを優劣だとして捉えない努力をすることでしょう。そこから、豊かな協力関係が生まれます。

かつて、放送関係の女性職員から構成される組合集会で、「女性のお茶汲《く》みは是《ぜ》か否《ひ》か」という公開討論会の調停審判役を依頼されたことがあります。まさに、キャリアウーマン最前線の女性たちらしい激しい論戦が繰り広げられましたが、最終的には、その時と場合によって、最もふさわしい人が、ふさわしい方法で対処するのがいちばんだという、ごく当たり前の結論に落ち着きました。

是か否かという「二分法」では、正しい結論が出なかったということです。二つの性が存在するのは、それらが必要だったからであり、二つの性なしでは、「今」は、存在し得なかったということです。「今」を否定することは、「今」存在している自分自身の否定であり、自己矛盾に陥ってしまいます。

となれば、「今」を認容すること、それは、二つの性の違いを認めることであり、自己都合による優劣という枠組みをこえて、区別された性を包括するような次元での新しい価値観のパラダイムを構築することこそ、今、いちばん、求められていることだと思います。

それぞれの性には、得意分野、不得意分野があります。

だからといって、知的な能力差がある、というわけではありません。同じ仕事をこなす能力は、その性に合った、最も得意とするプロセスを踏むことによって、まったく同等であることが、実験によって検証されています。

そのことを踏まえた上での男女共同参画こそが、真の人類の豊かな未来を招来することは、間違いないと思います。

5

「宇宙のなかに生きる」ということ

★「その状況」を想像する

高く打ち上げられたボールが描く、美しい軌跡。

それは、ボール自身が、バットから与えられた力と、地球からの引力や空気の抵抗などの力を総合的に判断して、なるべく、エネルギーを消費しないような道筋を選んだ結果、あの美しい放物線を描いたのです。

第1章の、〝月の道〟のところでもお話ししたとおり、物理学の言葉では「最小作用の原理」などと呼んでいますが（六ページ）、自然界の動きは、すべて「省エネルギー」の方向を目指して動いています。

机の上に積み上げられた本が、いつのまにか崩れおちて乱雑になるのも、整理されて積み上げられた状態よりも、下に乱雑に散らばった方が、より低いエネルギー状態になるからです。

熱い飲み物が、外から加熱しない限り冷えていくのも、同じ理由です。熱く加熱されて動き回っている水の分子は、そのエネルギーをカップや空気の分子に与えて、低いエネルギー状態に変わろうとして、冷めていくのですね、しかし、それは、カップのなかに入って飲み物だけを考えた場合で、飲み物の熱を奪っていくカップや空気の温まり具合までを考えると、全体のエネルギーが変わることはありません。常に一定です。

これが、この世界を支配している宇宙の大原則「エネルギー保存則」です。実は、ある視点からすれば、人間界の営みとは、技術文明を含めて、この自然界の性質に逆行する行為なのです。

私たちが恩恵を受けている乗り物も、「外力がなければ、静止しているものはいつまでも静止状態にあり、動いているものはいつまでも動き続ける」というニュートンの「運動の第一法則」への真っ向からの挑戦です。

つまり、止まっているものを無理やり動かそうとして、今度は、走り続けていたい状況を、無理やりに止めるのが乗り物でしょう。「省エネルギー」に向かって変化しようとする自然界の性質とは逆の方向に向かっているのが、現代文明の特徴です。そこで、求められることは、これらの相反《あいはん》する性質や傾向を、大所高所から見極めながら、うまく共存させて、新しい仕組みの枠組みをつくることです。

ところが、それを阻むものは、極端な分業化の末に招いた〝オタク的学問〟の氾濫《はんらん》です。

最近、取材インタビューを受けるたびに気になるのは、「私は文系なので、理系のことはさっぱり分かりませんが……」と悪びれる様子もなく、前置きする記者たちが多いことです。この傾向は、欧米に比べると日本での方が強く、欧米では、それなりに事前の勉強をしてからというのが礼節だ、と考えている様子が伺われます。

そういえば、先日、ある小学校での公的教育研修会に、大学院生ともども招聘《しょうへい》した著名な大学教授が、現役の小学校教諭からの質問に対して、「私は小学校での授業経験がないので、分かりませんね」といってのけたというのも、まるでブラックユーモアのような出来事でした。もちろん、その場面だけから善悪を判断することは避けねばなりませんが、忙しい最中、時間をやりくりして参加した現場の先生方の感想を、聞いてみたいものです。「教員免許なしで教壇に立つことができる唯一の教員こそが大学教授なのだ」という陰口が、聞こえてきそうな一幕です。

加えていえば、小学校教員を養成する大学の教育系教授陣のなかで、充分な小学校現場の経験がない教員が大半を占めるという現実も不可思議ですね。さらに、日本の小学校教育の行政に関わる学識経験者といわれる人々のうち、どれくらいの方が、小学校教育の現場を知っているのかも気になります。

考えてみれば、あなたを〝あなた〟にしているものは、〝あなた自身〟というより、あなたと関わる〝他の存在〟だ、ということからも容易に推測できるように、極端な分業化の先に、豊かな未来はありません。

とはいっても、大天才レオナルド・ダ・ヴィンチ（一四五二～一五一九）が百年かけても、できなかったであろう宇宙探査を可能にしたのは、すぐれた分業化による、それぞれの研究成果の統合です。分業化のメリットとデメリットをうまく統合していく智恵と努力こそが、現代に求められる最重要課題でしょう。

そこで、統合化を進めるにあたって、不可欠な視点は、あるものごとの判断をする場合に、その結果だけを重視するのではなく、そういう結果に至るプロセスを加味した上での判断です。

一例を挙げれば、「一人にミカンを2個ずつ、3人の人にあげるには、ミカンは全部でいくついるでしょう？」という問題が与えられたときに、大方の人は、「2×3＝6」という演算をするでしょう。

この場合、もし、「3×2＝6」という演算をしたとしたら「答えは同じだけれど、ちょっとおかしいのでは……」と思う方もいるのではないでしょうか。事実、後者の式を書いたために、×をもらい、以後、登校拒否になった児童を、私は知っています。

その子の推論は、以下の通りです。まず、「最初に1個ずつ3人にミカンをあげる。（なぜなら、みんな早くもらいたいから……）」、次に、「2つ目のミカンを3人にあげる」です。したがって、「3×2」だったのです。

単位を書くと、この差異がはっきりします。最初の解き方では、「2個／人×3人＝6個」で、後の解き方は、「3個／回×2回＝6個」です。

このように、演算の陰には、必ず、〝「その状況」を想像する〟ということが前提になっていて、だからこそ、算数の問題を解くときには、〝状況〟を言葉で記述できる国語の知識が必要だということになるのです。そういう観点からすれば、算数も、言葉のなかの一つなのです。全体を通しての、総合的な基礎学習が必要だということですね。

ここで、余談になりますが、私たちは、「宇宙が膨張している」とか、「宇宙は、『無』から始まった」とかというような〝表現〟をします。

しかし、日常言語でそのような表現をすると、「膨張している」というのならば「膨張を許している〝もっと大きい空間〟がある」ように感じてしまいます。たとえば、「風船のように膨らんでいる」といわれれば、その風船は、私たちが、いつも見ているこの空間のなかにあるわけですから、「〝宇宙の外〟の空間というのは、どうなっているのか」という疑問が出てきます。そうなると、「宇宙というのは、すべてを包含する言葉であるから、〝宇宙の外〟という存在などは論理的にないのだ」といわれても、納得できません。

なぜ、このようなことが起こるのか。

私たちが「宇宙が膨張している」と信じている根拠は、地上から遠くの銀河を観測した場合、「距離が遠ければ遠いほど、より速く、地球から遠ざかっている」という観測事実（これを「ハッブルの法則」といいます）を根拠とした類推なのであって、〝宇宙の外〟から、神のまなざしで、膨らむ宇宙を見ているということではありません。

しかし、日常のレベルでは、膨らんでいる風船の表面に書かれた二つの点の間の距離は、膨らんでいくにしたがって離れていく、という事実を目にしています。

そこで、日常の言葉を使って、「宇宙は風船のように膨らんでいる」と表現する以外に、言葉では表現できないのです。この状況は、数式を使えば、空間の長さを測る基準となる「計量」という空間尺度が時間とともに増大するということで、明快に表現することができます。

考えてみれば、私たちが日常使っている言語表現には、数学の目からみれば、論理性を欠いた、曖昧な表現がたくさんあります。

その一例は、「私はウソつきである」という表現ですが、これは、「私」が「正直者」であれば、その場合も正しい表現ではなく、また、「私」が「ウソつき」であれば、その場合も正しい表現ではありません。日常の言葉の難しさです。

★「マニュアル」をこえて

「宇宙の始まり」についても同様です。

「始まり」があるためには、あるきっかけがあって、始まった、ということでしょう。ということは、「始まり」の前には「始まってない」状態があったからこそ、「始まり」があったはずです。

そう考えると、ある日、さりげなく、なにもないところから始まった、などといわれても、困りますね。「始まる前は、どうなっていたのか?」と、問いかけたくなります。これもまた、日常の言語で〝表現〟しようとしたところに無理があったのです。そもそも、「始まった」とか「始まってない」というような判断の出発点は、脳がそれを認識できるか、認識できないかにかかっています。

では、脳が認識できるメカニズムとは、何か？

それは、脳のからくりからいえば、「変化する」ことを通してしか、脳は認識できない、ということです。たとえば、同じ音が鳴り続けていると、いつのまにか、音を意識しなくなります。同じ香りを嗅いでいると、慣れてしまって、匂わなくなります。

それでは、脳が認識できない状態、つまり、変化がないという状況とは、何か？

それは、まったく一様で、のっぺらぼうのような状態です。厚さが一様で、きれいに磨かれているガラス窓は、時として、窓があるのかないのか、分からなくなることがあります。実際、あわてているときなど、ガラス戸にぶつかってしまうことさえあります。しかし、そのガラスに汚れがあったり、厚さが一様でないために、ガラス越しに見える外の景色が歪《ゆが》んで見えたりすれば、「そこにガラスがあること」が分かるでしょう。

どうやら、「宇宙の始まり」とは、そういう状態だったようですね。

そういった一様性そのものの世界に、ある日、ゆらゆら、と「ゆらぎ」が起こった。すると、その変化分は、私たちの認識の世界に浮かび上がってくることになり、「何かが生まれた」ということになるわけです。それでは、「そういう一様な世界があったという証拠があったのか」ということになりますが、それが、宇宙の背景放射といわれる電波の

「ゆらぎ」から、推測されたのです。

一九八九年に、アメリカのＮＡＳＡが、ＣＯＢＥ（Cosmic Backgroud Explorer／宇宙背景放射探査機）という観測衛星を打ち上げ、ついで、二〇〇一年に、ＷＭＡＰ（Wilkinson Microwave Anisotropy Probe）と呼ばれる衛星を打ち上げました。

それは、天空のあらゆる方向から飛来する微弱な電波を観測して、その強さの分布図を作成することを可能にしました。その結果、ほんのわずかな「ゆらぎ」があることが確かめられ、それが、今のような宇宙をつくる〝種のようなもの〟だったことが判明しました。つまり、宇宙のありとあらゆる方向から飛来する謎の電波のなかに、わずかな「ゆらぎ」があったということは、元々、宇宙は「ゆらぎ」のない、のっぺらぼうな状態だったということを意味します。

そのように、存在か非存在かという問題についても、人間の認識とは何か、というところまでさかのぼって考えることによって、論理性をもった議論ができるようになります。それは言葉をかえれば、認識をこえた世界であり、「無」としかいいようがない状態です。

このあたりの事情も、実は数学で記述すると、とても、単純明快に表現できます。数学も、言葉なのです。いいかえれば、日常の言葉では表現できない状況を、すべての人々に納得できる論理で説明できるのが数学の持ち味なのです。もちろん、「万人に」といっても、数学を理解するための素養が求められることは当然のことです。

さて、知りたいと思っている対象が同じであっても、分業という立場から考えると、多種多様なアプローチのバリエーションがあります。

元々、人間の脳には、たとえば、窮地に追い詰められたときなど、逆転の発想で、うまく乗り切る能力が備わっています。なぜなら、脳の働きは、対極的な事柄をうまく統合することによって、最も効率のよい新しい方法を編み出すようにできているからです。

にもかかわらず、人は、分業ということに捉われてしまうと、いつも自分が掛けている眼鏡のことを忘れ、眼鏡越しに見える風景を、そのまま現実だと受け止めてしまいがちです。となると、いちばん楽な生き方は、「マニュアル（手順書）」に沿って行動することだということになり、この傾向は、まさに現代社会の特徴にもなっています。

ファミリー・レストランの接遇から官公庁の応対まで、果ては、学校に文句をつけてくる、いわゆる〝モンスター・ペアレント〟（すさまじい呼び名ですね）の対応まで、すべてが、「マニュアル化」され、それを「指南書」として、機械のように動いているのが、現代です。

大学のセンター試験の監督でも、「マニュアル」に記されている以外の言葉を発しようものなら処罰の対象になります。試験終了後にひとこと、「おつかれさま」と付け加えただけで厳罰に処せられ、日本から海外の大学に流出してしまった知人がいました。

ところで、みなさんは〈ハッブル望遠鏡〉をご存じですね。

一九九〇年にＮＡＳＡが、スペースシャトル〈ディスカバリー〉に搭載して打ち上げた宇宙望遠鏡で、直径４・３メートル、長さ13・４メートル、重さ11・６トンの円筒型の衛星の中に、直径２・４メートルの反射望遠鏡が入っています。そして、地上５９０キロの地球周回軌道上から、宇宙の神秘に目をこらしている宇宙望遠鏡です。

実は打ち上げ後、ピントがきっちり合わないという性能上の問題が判明して、宇宙飛行士が修理のために駆けつけたことがありました。ところが、修理が終わって、観音開《かんのんびら》きになっている扉を閉めようとしたら閉まらないという事態が、発生しました。

太陽光が当たっている面と、当たっていない裏側とでは温度差が２００度以上にもなって、扉が変形していたのです。地上とのやりとりのなかで万策尽き、最後に思いついたのは、「マニュアル」にはない、宇宙飛行士の「体当たり」でした。

「マニュアルにはない方法で成功した喜びは、人間として何ものにも勝る喜び、人間としての、宇宙飛行士冥利《みょうり》に尽きる経験だった」と、後に語ってくれた、この宇宙飛行士の言葉が忘れられません。

このように、あることを完璧に遂行するための、完全な「マニュアル」などというものは存在しません。

しかし、その一方では、今日のような複雑な技術文明社会では、「マニュアル」なしでは、大混乱が起こってしまいます。私たちの日常生活のなかでも、心の準備としての「マニュアル」は大切です。特に、緊急事態からの回避には、「マニュアル」が大きな力を発揮します。

私たちにとって必要なことは、「マニュアルの光と影」を理解した上で、両方をうまくバランスさせ、最終的には、「考える心」を拠りどころとして行動する智恵をつけることでしょう。これも、宇宙は対極の性質のバランスの上に成り立っている、ということからの教訓です。

また、仏陀《ぶっだ》の教えを一言で表現するならば、「自《じ》灯明《とうみょう》と法《ほう》灯明」になるのでしょうが、「自灯明」は、自らを整えて灯火として生きよということであり、「法灯明」は、そのように整えられた自己の目に映る世界である、ということでもあって、今、お話ししたことと も相通《あいつう》じるように思います。

★明日、太陽は再び昇ってくるか

地上に存在する、すべてのものたちにエネルギーを与え続けている恵みの太陽も、いったん宇宙に出ると、人間や人工物に障害をもたらす存在になります。生物にとっては、有害な電磁波を含んでいるからです。

その太陽のエネルギーを、やさしく生物に分け与えてくれる役目を担うのが、地球を覆っている大気です。その大気は水分を含んでいて、雲をつくりますが、その雲が、昼間には暖かい太陽エネルギーを蓄えてくれて、寒い夜には放出してくれているおかげで、地球表面の温度差は弱められ、私たち生物は生きていられるのです。

それらに加えて、太陽から放射される生物にとっては有害な放射線を遮蔽《しゃへい》してくれるのも大気です。

こうして考えてみると、地上で起こるあらゆる出来事に、太陽活動の影響が大きく関わっていることは当然のことです。それは、また、広大無辺な宇宙のなかで起こる変動そのものであるともいえるでしょう。なぜなら、私たちの地球は、大きさ10万光年という銀河系の片隅にある太陽という平均的な恒星の庇護《ひご》のもとに、たまたま存在している惑星の一つに過ぎないからです。

たとえば近年の例でいえば、一四世紀から一九世紀初めころまで、地球全体は「小氷河期」と呼ばれている寒冷化に見舞われていました。これは、太陽活動がゆるやかになったことが原因でしたが、今、再び、太陽活動は静かになってきています。

ところが、今回は、寒冷化ではなく、逆に温暖化を促進する方向に向かっているらしいという研究も出てきています。

星の終焉《しゅうえん》である超新星爆発などの名残として、銀河のどこかでつくられて、地球にも降り注いでくる宇宙線という荷電粒子の量をコントロールするのが、太陽がつくる磁場なのですが、そこで太陽活動が低下すると、太陽によってるつくられる磁力が減少して、地球には数多くの宇宙線が降り注ぐことになります。すると、それらの宇宙線は、地球上層の大気中の窒素《ちっそ》原子と衝突して、それを炭素原子に変換し、それが酸素と結びつくと、二酸化炭素をつくり出します。

温暖化の原因は、人類が放出してきた二酸化炭素のほかにもあるということですね。

そういう観点からみれば、太陽活動の低下は、寒冷化と温暖化という両極端の状態をつくり出す源ともなっているわけです。このように、現代の世界情勢のすべては、「宇宙の天気」とでも言いたいようなからくりに、左右されているということなのですね。

ところで、明日の朝、太陽は再び昇ってくるのでしょうか?

改めて、そう問われると、「必ず昇ってくる」とは、言い切れないものがあります。ただ、太陽と地球との間の距離を光が駆け抜けるのに、8分と20秒ほどかかりますから、今、太陽が突然、消失したとしても、今から8分20秒の間は、何も変わらず、今までどおりの太陽が存在していることだけは確かです。

しかし、8分前の太陽と、今の太陽が同じであるかといえば、そうではなく、太陽は、刻一刻と変化し続けていますから、安心できません。

さて、太陽の大きさは、直径にして、地球の大きさの109倍、つまり直径140万キロメートルの巨大な水素ガスのかたまりです。仮に、太陽を直径1メートルの球だとすれば、地球は1センチほどの小さな玉で、距離にして100メートル離れたところを三六五日かけて回っている、ということになります。

そして、太陽の重さは地球の33万３０００倍もありますから、中心部は、ぎゅうぎゅう詰めになっていて、そこで生まれた〝光の赤ちゃん〟が太陽の表面に出てくるには、およそ数十万年かかります。今、私たちのところに届いている光は、数十万年前に生まれた光であり、私たちは、過去の光によって生かされているわけですね。そして、今、誕生したばかりの光が地球に届くのは、数十万年後の未来です。

このように、今ある私たちの生活を支えているものは、宇宙的規模の絶えることのない長い時間の積み重ねのなかにある恩恵なのです。

ついでにお話ししておきますと、太陽は、光だけではなく、「ニュートリノ」と呼ばれる粒子も放出しています。このニュートリノという不思議な粒子は、普通の物質とは作用しないで、するりと通り抜ける性質をもっていますから、地球には今、太陽でつくられたばかりの粒子が降り注いでいることになります。そこで、天文学最前線の研究として、ニュートリノの観測が行なわれていますが、それは、今、現在の太陽活動を直接、知るための有力な手がかりになっています。

さて、地上のほとんどの生物は、人間を含めて〝24時間周期の生体リズム〟をもっています。それは、哺乳類《ほにゅうるい》に限っていえば、脳の視床下部《ししょうかぶ》の左右一対《いっつい》の視交叉上核《しこうさじょうかく》という神経核のなかにある〝時計〟によるものです。認知症などでこの〝時計〟が壊れると、24時間リズムが崩れ、生活パターンが乱れます。

しかし、元々昼行性動物である人間が、まったく光のない洞窟で生活すると、生体時計のリズムが25時間になることが、分かっています。逆にネズミのような夜行性動物では、23時間です。この24時間周期からの1時間の「ずれ」がある理由は、朝、活動を開始するときや眠りにつくときに、太陽光を浴びることによって、常に正しい24時間リズムを補正していくための智恵だといわれています。そんなところにも、太陽と人間との関わりがあったのですね。

ですから、私たち人間も、太陽光によるリセットなしに、昼夜逆転の仕事をし続けていると、「生物としての人間本来の機能」が損なわれ、心拍、血圧、認知機能などに支障が起こります。

さらに、生物が体内時計を必要とした理由ですが、一つには「種の保存」のために、一年のうちで最も適した時期に次の世代を誕生させる営みを行なうための時間尺度の設定であり、もう一つは、「個体の保存」のために、細胞内でのグリコーゲンや蛋白質《たんぱくしつ》の合成を効率よく行なうために必要な時間管理、さらには、外敵のいない時間帯の予測にも、時計が必要だった、ということでしょう。

私たちは、太陽の子であり、太陽に合わせて生きていくしか、ほかに生きる道はありません。半年ごとの季節の変わり目に起こる体調の変化は、かつて、地磁気の北極、南極が年に二回、反転していたことの名残だともいわれています。

★夜はなぜ暗いのか

ところで、私たちの生活には、特別な地域を除けば、明るい昼と、暗い夜があります。つまり、太陽が出ていれば昼であり、太陽が沈んでしまえば暗い夜になることは、誰でもが経験的に知っている事実ですが、だからといって、「夜は、なぜ暗いのだろう?」と考えることはしません。

考えてみれば、先ほどお話ししましたように、地球は、大気というコートを着込んでいますから、太陽の光は、大気のなかにある水分やゴミによって撒《ま》き散らされ、昼間は、空全体が明るく輝いて見えています。もし、大気のない宇宙空間であれば、太陽からの光を撒き散らすものがありませんから、真っ暗な星空のなかに、太陽だけが、まばゆく輝いている風景に出会えるでしょう。

　ところが、そうであったとしても、「空全体が光で満たされないのはなぜだろう？」と、真剣に考えた人がいました。その人は、ドイツの天文学者オルバース（一七五八〜一八四〇）でした、一八二六年のことです。

　まったく光のない暗闇のなかで星空を見上げていると、漆黒《しっこく》の闇から、次々に星の光が滲《し》み出してくるように感じることがあります。それは、暗闇に目がなれてくると、視力が増大してくるからです。

　先日も、所用で伊豆《いず》の突端を訪ねての帰り道、国道４１４号線で沼津に向う途中、天城《あまぎ》越《ご》えの山中で、そんな体験に出会いました。車のヘッドライトに照らされて浮かび上がる光景が、普段の夜道で見慣れた雰囲気とは、あまりにも違っていたので、思わず路肩に車を止め、ライトを消して空を見上げたのでした。

　すると、頭上高く輝くカシオペアを中心にして、星座のかたちが分からなくなるほどの星の群れが連なり、その背景には、天の川が流れていました。周囲を見ると、深い森が、うっすらと星明かりで光っています。月のない夜に星明りだけで輝く夜の世界、「星月夜《ほしづきよ》」です。

じっと見上げること数分、今まで見えなかったような小さな星たちが、次から次へと浮かび上がってきます。

……となると、もし、全天が星でおおわれてしまったら、「暗い夜」は存在しないことになってしまいますね。

実は、オルバースが抱いた疑問が、まさにそのことでした。

ここで、森のなかに分け入って、周囲を見回している場面を想像してください。

まず、あなたの近くには、何本かの木が見えますが、その木と木の間には、少し遠くにある木が見えていますね。そして、それらの木と木の間には、もっと遠くにある木が見えるでしょう。つまり、深い森のなかに立っていると、自分の周りは木で埋め尽くされているように見えます。

特に、雪で覆われて深閑《しんかん》とした森のなかでは、立ち止まっていることが怖くなるくらいに、周りの木が迫ってくるように見えます。

まるで、岸田衿子さんの作品にある詩の世界です。

雪の林の奥では
立ちどまってはいけません
歩いていないと
木に吸いこまれてしまうから

（岸田衿子著『あかるい日の歌』青土社刊より）

ここで、「木」を「星」に置き換えてみましょう。

もし、宇宙が無限に大きくて、どこまでも、星が存在しているのであれば、空全体は、星で埋め尽くされてしまうことになります。

それは、全天いっぱいに太陽が敷き詰められているような状況になり、まばゆいばかりに輝いた夜空になるでしょう。

もう少しきちんといえば、宇宙のなかに、同じ明るさの星が一様にあるとすれば、地上から空を見上げたとき、星の明るさは、見ている場所からの距離の二乗に反比例して暗くなりますが、その一方では、見える星の数は、距離の二乗に比例して多くなります。

つまり、近くの空からやってくる星の光も、遠くの空からやってくる星の光も、全体で考えれば同じになり、したがって、宇宙が無限に広がっていれば、空からやってくる星の光は、重なり合って無限に大きくなってしまうというわけです。

　ところが、現実には、暗い夜があります。これを「オルバースのパラドックス（背理）」と呼んでいますが、つまり、このパラドックスを回避するには、宇宙は無限に大きいのではなく、有限である、と考えれば解決します。

「暗い夜」を演出したのは、宇宙の有限性だったのです。

　具体的には、宇宙の大きさは、１３７億光年です。それらに加えて、宇宙は遠くになればなるほど、より速く膨張していることが分かっていますから（「ハッブルの法則」です）、より遠くの星からやって来る光のエネルギーは、膨張によって弱められ、「暗い夜」をつくるのには、有利な条件になります。「暗い夜」は、宇宙が有限であって膨張していることの証《あかし》だったのです。

　しかし、ここで、「それでは１３７億年の先は、どうなっているのだろう？」という疑問が湧《わ》いてきますね。

　その答えは、「宇宙の始まりをどう捉えるか？」という論法と同じです。つまり、地球からより遠くになるほど、膨張速度は距離に比例して速くなることが、観測によって確かめられていますが、そうすると、ついには光の速度に達してしまいます。ところが、光よりも速く動くものは存在しませんから、その場所より遠いところの情報は、論理的に、私たちは入手することができません。

つまり、私たちの認識をこえる領域だということになり、膨張速度が光の速さになる場所を、宇宙の地平、すなわち、「宇宙の果て」であると考えるのです。それが、１３７億光年の彼方《かなた》です。

そんな宇宙のなかを、私たちの地球は、太陽の周りを回りながら、ほかの惑星たちと、ヘルクレス座の方向を目指して秒速20キロメートルの速度で、走っています。

そして、ヘルクレスの星たちを含む恒星団は、私たち太陽系を巻き込んだまま、半径３万光年（3の後に0を17個つけたキロメートル）の円を描いて、銀河系の中心の周りを秒速３００キロメートルというものすごいスピードで回転しています。

一周りの時間は、およそ2億年です。それから、まだまだ……。２０００億個の太陽のような星（恒星）をかかえた銀河系全体も、２３０万光年離れたお隣のアンドロメダ銀河M31をめがけて、走り続けています。これらの運動は、いずれも天体の引力によって引き起こされているのですから、すべては、空気もなく、昼もない暗黒の宇宙空間を〝落ち続けている〟というわけです。

しかし、このすさまじい〝落下〟のなかにあって、地上では毎年毎年、その季節を忘れずに咲く花の不思議さ。人は、「なぜ花は咲くのか?」と問い、花はそれを問うことをしません。

ここで思い出すのが、第2章でも引用した、リルケの「秋」と題された詩です（四十四ページ参照）。

この詩には、魂の奥に、直接触れてくるような鋭く透明な直観力がその根底にあり、それは同時に哲学的で論理的、しかも、言葉の響きだけに留まらず、匂いや色彩、光と影、あらゆる感触、姿、形などをあますところなく表現する叙情性で溢れています。

このすべての「落下」を支える「ただ一人の者」とは、神さまのことでしょうが、花が咲くのも、木の実が落ちるのも、星が輝くのも、あなたや私が生きているのも、みんな、〝宇宙の落下〟のなかでの出来事なのですね。

このように、美の源泉は、隠れた宇宙のからくりのなかにあって、それを追い求めるのが、科学者であり、詩人なのかもしれません。

★人間の「心」と宇宙の「心」

ところで、この宇宙のなかに存在するすべてのものは、原子、分子からできています。これらの極微の世界を理解するには、量子力学と呼ばれる物理学の知識が必要になりますが、その考え方の基本は、「ものごとの状態は、あらゆる可能性を秘めていて、それを認識した瞬間に、そのなかのひとつの状態が、現実のこととしてたち現れる」というものです。

たとえば、現実には考えにくいことですが、赤ちゃんが寝ているか目を覚ましているかは、それを見た瞬間に決定するのであって、見る前には、「寝ている状態」と「起きている状態」が重なった状態にあると考えます。

光の本性を例にとれば、重なったレースのカーテンに縞《しま》模様ができるという観測結果からいえば、それは波特有の干渉縞ですから、光は波だ、ということになり、その一方で、視神経を刺激することによって、光を感じるという立場をとれば、粒子としての光が、神経の分子と衝突しているのだ、と考えます。

いいかえれば、「ものごとは、すべての可能性を併せもった状態の重ね合わせで存在するが、それを、どのような方法や考え方で見るかによって、見られるものごとは、すべて違って見えてくる」、ということなのです。

もう一つ、別の例でいえば、たくさんの点が画面一面に描かれている模様をじぃーっと見ていると、突然、立体画像が見えてきたり、あるいは、同じ絵が、老婆に見えたり少女に見えたり、しかも、その絵を見ながら、ふっと別のことを考えたりすると、突然、何も見えなくなってしまったりすることがあるでしょう。

私たちの「心」は、とても自由にできていて、見た瞬間に、自由奔放に感じる特性をもっているようです。このことが、「心」が健康であることの証であり、健康が損なわれると特定の「思い込み」にとりつかれて、見方が偏ってしまいます。

道元《どうげん》（一二〇〇〜一二五三）の名著『正法眼蔵《しょうぼうげんぞう》』のなかに出てくる表現を借りれば、ものごとの善し悪しは、「我慢」の心がそう感じているだけなのであって、判断する自分を捨てるところに、自由に風を通す「堪忍」の心が生まれる、ということなのでしょう。

人の「心」がこのような特性をもっているのも、脳が、原子、分子からできていることの反映に他なりません。

実は、「心をもつものは唯一、人間である」という主張をしてきたのは、キリスト教的枠組みのなかで生まれた西欧の思想でした。その対極にあるのが、自然界のあらゆるものに「心」あるいは「魂」の存在を感じる〝アニミズム〟です。仏教に出てくる「山川草木《さんせんそうもく》悉皆成仏《しっかいじょうぶつ》」も、そのなかの一つです。

そういった経緯のなかで、最近では、物質としての脳の研究がさかんになってきました。それは人工知能、つまり、〝人工の心〟をもつコンピュータを目指しています。

しかし、コンピュータにはプログラムが必要で、「この場合にはこうせよ」という命令がなくては動きません。しかも、それは「逐次《ちくじ》処理」といって、たくさんの命令を一つずつ連続的に処理します。

一方、人間の脳は「並列処理」といって、あらゆる場所にある脳の要素ニューロンが同時に働き、全体処理をするという驚くべき離れ業《わざ》を演じます。脳の神経の一つ一つの信号伝達速度は、コンピュータの処理速度のなんと100万分の1（!）しかないのに、コンピュータにもできない直観的処理ができることの秘密は、まさにこの点にあります。

つまり、人間の脳の特徴は、まず直観的に考え、答えが先に出て、あとから論理的に裏づけするという場合が非常に多いことです。コンピュータには、このような「直観力」はありません。

さらに付け加えるならば、人間の脳の特徴は、恐らく言葉の発明と関係があるのでしょうが、それは、「〝自分〟を、他と違うものとして認識できる能力」です。いいかえれば、「〝他者〟のことを考え、推測することを可能にする能力」であり、そこから、他を理解しようとする人間特有の心の働きが生まれます。いわゆる「共感」です。コンピュータではつくれない能力です。

ところで、現代は、このような人間特有の「心」の特徴が、希薄になりつつあるように思われてなりません。ある心理学者の言葉を借りれば、極端な表現ではありますが、「人間は自身の進化に意図的に介入して、自身の滅亡、復活を制御できる最初の種」だということなのでしょう。

しかし、「心」を形成する元は、「もの」であるとしても、それは人間の所作に対してつくられた概念です。したがって、「宇宙の心」とは、人間が宇宙と対峙《たいじ》したときに抱く人間の「心」のあり様のことだ、というのが妥当な解釈でしょう。そういった視点から考えれば、「宇宙には心がある」といってもいいと思います。

私たちの目には、相手の「心」は見えません。しかし、相手の行動を通して「心」は見えてきます。

考えてみれば、宇宙研究の成果が指摘しているように、宇宙は極めて巧妙にできていて、宇宙進化のプロセスのなかで、何か一つでも狂いがあったら、今の宇宙や人間は存在し得ないことが、科学の見地から分かっています。そういった意味で、宇宙に対して畏敬の念を抱き、だからこそ、もっと知りたいと思い、そして人間の所業について謙虚に省察を行なうことこそ、人間のなすべきことでしょう。

私たちは、汚いものが入れてあったカップをどんなにきれいに洗っても、そのカップでおいしいお茶を飲む気にはなりません。それは、実際には汚れていないカップであっても、汚いと「心」が判断しているからです。

すべては、「心」次第だということです。

「心」って不思議な存在ですね。

★東洋思想と現代宇宙論

このように、心のなかには、数え切れないほどの過去が集積されていて、そこから、未来を夢見ています。

私には、夏本番を控えた梅雨《つゆ》の一休み、初夏が最後の美しさを競うかのような夕べのひとき、どこからともなく、クチナシの香りが漂ってくると、きまって思い出す風景があります。

それは、言葉や理屈をこえて、一瞬のうちに、私を就学以前の幼少時代に連れ戻します。生まれ育った東京・武蔵野《むさしの》の一角、当時はまだ珍しかった西洋風の館に住む姉妹に招かれて至福の時を過ごしていたころの思い出のなかに、クチナシの香りがありました。香りには、言葉をこえた何かを思い起こさせる、原初的な力があるようです。

つまり、古代中国の『荘子』に書かれているように、言葉は、考えを伝える道具ですが、考えを理解したら言葉は忘れ去られます。魚をすくうには網を使いますが、魚をすくってしまえば、すくった網は忘れられるのと同じですね。

実は、美や芸術、あるいは自然科学にも、それと同じような感覚があります。何か、自分が感じたことを表現したい衝動にかられたとき、通常の言葉は無力になることがあります。そんなとき、表現者は、音楽や絵画、彫刻、あるいは数式といったような自己表現の手段と一体化してしまうという時間を体験することがありますが、まさに「そのとき」こそ、言葉を必要としない感動を、他者に伝えることが可能になる瞬間です。

大乗仏教でいうところの「分別智《ふんべつち》」、つまり「いろいろの事物は分離独立した実体である」という「迷いの心」から、すべてのものはつながりあっていて、結局は一つ、つまり「一如《いちじょ》」、いいかえれば「空《くう》」だと見る「無分別智《むふんべつち》」へのプロセスです。

つながりあった一つのものが、いろいろの場面で、多様な姿を現わしていると見るのであって、それが「無分別智後得智《むふんべつちごとくち》」です。

このような視点からみれば、現代宇宙論によってもたらされた世界観と、東洋の思想は、どこか似通っていますね。

ある日、何の前ぶれもなく、突如、一粒の光として真空の闇から生まれ、急速に膨張しながら分化を続け、現在に至った、この世界。

たがいに絡み合い、浸透しあって、変化を続け、素粒子といわれる宇宙の基本的構成要素でさえも、実は、他のすべての素粒子の組み合わせからできている、と考えることも可能な、この宇宙。

しかも、この宇宙を認識する私たちがいることによって、宇宙の存在は意味をもち、逆に、そういう私たちを１３７億年という途方もなく長い時間をかけてつくったのが、宇宙であった、という不可思議。

まるで、禅の世界のように、自分と宇宙との境がぼんやりしてきて、いっそう不思議な気分に包まれます。

現代社会の諸問題は、〝他との区別〟が優先されているところに端を発している場合が多いように感じます。時には、「ぼーっ」として、自然と向かい合い、夕闇のなかでほのかに香るクチナシに「心」があるのなら、その花のまどろみのなかに自分がいるのかもしれない……というくらいの気分に浸りたいものです。

仏教では「サンスカーラ」（行《ぎょう》）という考え方があって、すべての行為、もしくは出来事が移りかわるものとして考えられているように、現代物理学では、すべての事象を「時空のなかでのエネルギーの具現化」として捉えています。

★光は「存在」と「非存在」の彼方に

実は、同じ実体が、まったく違った側面をもっていることを示す典型的な例が、光です。先ほどもお話ししましたが、ここで、もういちど、おさらいしておきましょう。

まず、私たちが、宇宙のはるか彼方からやってくる星の光を見ることができるのは、光が粒子の性質をもっているからです。

つまり、エネルギーが小さな領域のなかにぎっしりつまった粒子の状態になっているからこそ、遠くの宇宙空間からやってくる間に周囲に拡散することなく、私たちの目のところまで届くのです。私たちは、その粒子のことを「光子（フォトン）」と呼んでいます。

その一方で、生い茂った樹木の葉の隙間《すきま》からさしこんでくる太陽光は、星型に散らばっていくように見えます。この振る舞いは、光が波の性質をもっていることを示すもので、たとえば、防波堤で仕切られた湾の入り口から入ってくる波が、入り口を通過した後は、周囲に広がっていくのと同じ現象です。

となると、光の本性とは何なのでしょうか？　粒子であり、同時に波であるという不思議な存在が、この世の中にあっていいものでしょうか？

この問題は、古代ギリシャの時代からずっと人々を悩ませてきた大命題で、20世紀になって、量子力学という学問が登場することによって、ようやく解決に漕ぎつけたのでした。その結論は、「光は粒子でも波でもなく、光は光そのもの」なのであって、私たちが見る立場、詳しくいえば、観測する方法、装置によって、どちらの性質も示すような不思議な存在だ、というものでした。

この、一見すると、いかにも矛盾としかいいようのない光の本性を理解することは、私たちが日常生活を送る上でも、重要な示唆を与えてくれます。これはまた、見かけの上で対立したものを統合した先に真実があるという意味で、禅の世界に似ています。

ここで、一つの場面を想像してください。

ある平面のなかで小さなボールが一定速度で円運動をしているとします。そこで、その平面に沿って片側から、光をあてて、その面の向こう側におかれたスクリーンに映るボールの影の運動を観察することにしましょう。

そこには、運動している円の直径と同じ長さの線分の上をボールの影が往復運動しているように見えるでしょう。線分の中心付近の速度は最も速く、端に近づくにつれて遅くなり、先端では一瞬停止するかのように見えますが、すぐに折り返します。

この線分の両端を、「プラスとマイナス」、あるいは「陰と陽」のような対極だとすれば、ボールはその間を行ったり来たりしているように見えます。しかし、それを起こしている元の運動は、単純な一定速度の回転運動です。

見方を一歩深めることによって、「あれ」と「これ」、「上」と「下」というような対極概念が統一され、矛盾が解決されることを示しています。

ここで思い出すのが、ある有名な禅問答です……。

弟子――「いまだ心が不安でなりません。どうか不安を除いてください」、
師――「その方《ほう》の不安な心をもってきなさい。そうしたら鎮《しず》めてあげよう」、
弟子――「しかし、その不安な心を求めても、見つけることができません」、
師――「そうら！　その方の心を安心させたであろう」。
……いささか謎に満ちた問答ですが、含蓄の深い内容です。

究極の存在のリアリティーは、見かけ上の「存在」と、「非存在」をこえた彼方にあるようです。

★「四つの場」で成り立つ宇宙

それらに加えて、現代物理学の基本的発想には、「相手あってのこと」という視座があります。

たとえば、プラス電荷とマイナス電荷が引き合うという現象は、まず、空間にプラス電荷が存在することによって、その周りの空間が、目には見えない変化を起こします。それを物理学では「場《ば》ができる」と表現します。

その「場」のなかに、マイナス電荷がおかれると、「場」と電荷が感じあって引力が生じると考えるのです。

現代物理学では、そのような力を生み出す「場」は、基本的に四つあると考えています。

一つ目は、銀河や星を形成し、宇宙全体の運動を支配する「重力」、

二つ目は、原子をつくり、それらを合体させて、あらゆる物質をつくっていく「電磁力」（先ほどお話ししたプラス、マイナス電荷の例も、その一つです）、

三つ目は、原子の中心にある原子核をまとめる力で「強い力」と呼ばれているもの、

四つ目は、原子核を崩壊させ、別の原子核に姿を変えるきっかけとなる「弱い力」。

宇宙は、これらの四つの力によって、構成されています。

そして、「場」の変化を、その空間に生じるさざ波のようなものだと考えると、すでにお話ししたとおり、波の性質をもつ光が光子（フォトン）と呼ばれる粒子でもあったように、それぞれの場に、固有の「場の粒子」の存在が考えられることになります。

たとえば、重力を伝える粒子を、「重力子（グラビトン）」などと呼んでいます。ここで、「般若心経《はんにゃしんぎょう》」を思い出していただくと、まさに「場」は「空《くう》」、「粒子」は「色《しき》」という対応が、つきます。

そういえば、日常世界でも、人やものの存在が、その周りの雰囲気をつくり出しますが、これも、「場」の一つだと考えてもよさそうですね。

さらにいえば、少し強引な言い方ですが、目に見えない風も、それをはらんで走る帆船《はんせん》を見ていると、風がつくる「場」と帆《ほ》が、呼応している様子が見てとれますね。

すでにご紹介した岸田衿子さんの作品に、次のような、かわいらしい詩があります。

かぜに　いろをつけたひとだれ
かぜに　はねのあるのをみたひとだれ
かぜを　みたいとおもったら
かざぐるまを　みていてごらん
かざぐるまを　ほしければ
かぜのなかを　さがしてごらん

（「かぜとかざぐるま」、岸田衿子著『あかるい日のうた』青土社刊より）

★宇宙を航行する「帆船」

ところで、帆船といえば、それは、人類始まって以来、実に数千年にわたる歴史をもつ偉大な智恵の結晶です。

先日、所用で東京・有明《ありあけ》埠頭《ふとう》に停泊中の大型航海訓練帆船、〈日本丸2世〉を訪れました。巨大な4本のマストの根元から見上げると、たくさんのロープが、まるで蜘蛛《くも》の糸が張り巡らされているかのように天の一角に向けて延びていて、その数、３００本、全体の長さは20キロメートルにも達するという、その姿に圧倒されました。

さて、そのマストの付け根には、ロープをまきつける木製の滑車があります。２千数百トンもあるこの大型帆船を20ノット以上の驚異的な速度で航行させる風の力をいっぱいに受けるのは帆で、それを支えるロープをしっかりと固定するための滑車が鉄製ではなく、木製だったのは意外でした。暴風雨に見舞われたとき、マストが折れる前に滑車が壊れて船を救うためなのだそうです。すばらしい智恵ですね。

自然に対抗するというよりも、自然と一体になって身を任せながら、しかも、自己主張しながら航行するのが帆船です。この訓練船の目的は、航海の実務訓練だけではなく、自然に対しての畏怖《いふ》、畏敬の念を通して、人間として、本来あるべき姿を体得させることも、重要なテーマなのでしょう。

帆船といえば、これからの宇宙探査船の主役になるかもしれません。その目的は、太陽系の外の探査です。

実は、人間によってつくられた物体のうち、現在、地球から最も遠い場所にいるのは〈ボイジャー１号〉です。現在の位置は、地球からおよそ１５５億キロメートル、地球と太陽との距離の１０３倍で、光の速さで走っても15時間もかかる位置にあり、毎年５億４０００万キロメートルずつ、地球から遠ざかっています。

そして、今（二〇〇八年）から三年ほど前に太陽系の外に向かって吹く太陽風と、内に向って吹き込む星風、つまり、宇宙に漂っているガスや粒子が衝突する領域を通過しました。そのとき、健気な〈ボイジャー〉は、枯渇寸前のプルトニウム電池からのかぼそいエネルギーを使い、最後の力を振り絞って貴重なデータを送ってきています。

ここで、太陽系の外から吹き付ける星間分子のなかに含まれるアミノ酸が検出されれば、私たちの生命の源を知る大きな手がかりになります。さらに、天空の彼方にある微小なブラックホールや、目には見えない暗黒物質からはじき出される「反粒子」、つまり、「現実の粒子」に対して「その影に相当する粒子」を調べることができれば、宇宙の未来予測や、地球の気候の長期的な変動の予測が可能になります。

そこで、まもなく命が尽き果てるであろう〈ボイジャー〉にかわって、現在、計画中の恒星間探査機が「太陽帆船」です。これは、全長２００メートル程度のソーラーセイル（太陽帆）をもち、太陽光から受ける力を推進力として宇宙を航行する帆船です。ウインドサーフィンの要領で加速し、航行します。

私たちが太陽系内の惑星を調べることで、地球という星の特徴を、より正確に知ることができたように、恒星空間を調べることは、さらに、この広大無辺な宇宙のなかで、生命を育んだ太陽系とは何か、そして、そのなかで生息する人間とは何か、というその謎解きにつながるでしょう。

★地球は「特別」ではない

かつて、月や星は、私たち人類にとって身近な存在でした。

月は「かぐや姫」のふるさとであり、近代科学が芽生えたころになっても、火星には火星人が住んでいるかもしれないという期待に、人々の心は高鳴っていました。つまり、宇宙空間は、人間が住める世界の延長だと考えられていたのです。
しかし、現代科学が、月には空気も水もなく、昼と夜の温度差も桁はずれに大きく、また、火星にはほとんど酸素がないことなどを明らかにすると、地球以外の宇宙空間に〝生物〟が生息するのは不可能で、地球こそが唯一無二の〝生命の星〟だと考えられるに至りました。

ところが、最新の宇宙探査の結果は、再び、宇宙にも、「生命が存在する」可能性がきわめて大きいということを示唆しています。

つまり、宇宙から降り注ぐ電波を調べてみると、宇宙空間には、生命を構成する重要な物質、たとえば、アミノ酸や蛋白質《たんぱくしつ》の元になる分子が豊富に存在することが分かってきましたし、月や火星にも〝水〟があるらしいことなどが、次第にはっきりしてきました。それらに加えて、地球のような惑星を従えた恒星、つまり太陽系外惑星も、現在までに260個あまり発見されています。

ということは、地球に生息する我々人類とは、多くの宇宙内生物のなかで、いかなる存在なのかを、改めて問い直さねばならない時代が到来したともいえます。

ただ、だからといって、すぐに〝宇宙人〟の存在と結び付けるのは、危険です。

宇宙に「生命が存在する」といっても、そこに「文明があるとは限らない」からです。このことをしっかり認識しておかないと、たちまち「エセ宗教」、「エセ科学」になってしまいます。

ところで、人間の人間たるゆえんは「自己認識する動物」であることだといわれています。それは、「人間（自分）とはいかなるものなのか」を問うことができて、しかも、「自分が必ず死ぬことを自覚している唯一の動物」だということです。このことが、宗教や文学、そして、芸術を生み出すきっかけになったのでしょう。

自分を知るには、自分以外の他者がなければ知ることはできません。知るということは、他との区別を認識することです。となると、現代における究極の自己認識とは、一つには、みずからの終焉、つまり、地球環境による人類の滅亡に対して目を向けることであり、もう一つは、地球外知的生命との遭遇を通して、地球人としてのアイデンティティーを確立することだといってもいいでしょう。

かつて、フランスの思想家パスカル（一六二三〜一六六二）は、有名な著作『パンセ』のなかで、こう記しました。

「私が私の尊厳を求めなければならないのは、空間からではなく、私の考えの規整からである。私は多くの土地を所有したところで、優《まさ》ることにならないだろう。空間によっては、宇宙は私をつつみ、一つの点のようにのみこむ。考えることによって、私が宇宙をつつむ。」

（前田陽一・由木康訳『世界の名著』中央公論社刊より）

しかし、最新の研究によれば、この宇宙のなかは、見えないエネルギーや物質で満たされていて、見えている領域は、わずか4％です。「分かり得ないこと」の存在が「分かった」というのも、現代科学の成果の一つです。

人類の知とは何か、その意味が大きな転換期を迎えているのが、現代のようです。

6 宇宙巡礼への旅立ち

★「アナログ」と「デジタル」

秋が深まるころの朝夕、ほのかに匂《にお》ってくる金木犀《きんもくせい》の香りには、過ぎた夏への挽歌《ばんか》、あるいは、未来への子守歌の風情があります。

そういえば、先日、星月夜の帰り道（第2章でお話しした）近隣の異次元世界「トトロの森」を通りかかると、もはや飛ぶ力はなくなっていましたが、数匹のホタルが月光のなかで、静かに最後の光を放っていました。

その光の明滅は、規則的ともいえず、かといって不規則でもなく、ときには予測通りに、ときには、それを裏切るかのように息づいていました。

そこには、デジタルの世界にまぎれこんだ、アナログの懐かしさを思い起こさせる風景がありました。

ふと、宮沢賢治の詩集、『春と修羅《しゅら》』（第一集）の「序」がよみがえってきます。

　わたくしといふ現象は
仮定された有機交流電燈の

ひとつの青い照明です
（あらゆる透明な幽霊の複合体）
風景やみんなといつしよに
せはしくせはしく明滅しながら
いかにもたしかにともりつづける
因果交流電燈の
ひとつの青い照明です
（ひかりはたもち　その電燈は失はれ）
……（以下略）

（ちくま文庫版『宮沢賢治全集第1巻』筑摩書房刊より）

さて、デジタルといえば、35ミリ銀塩フィルムカメラを使ってきた私にとっては、「デジカメ」（デジタルカメラ）は、まるで、魔法のキカイです。

写真の色調も、撮像素子の感度も自由自在に変えることができて、確かに便利にはなりました。しかし、フィルム枚数を気にする必要がありませんから撮り放題で、シャッターを押すときの緊迫した時間の凝縮感はなく、これが、作品の質を大きく変えてしまうことになりかねないという不安も、隠せません。

考えてみれば、人間のからだも、もとをただせば、物質の集合体です。構造的には、デジタルだともいえます。

しかし、生物と無生物との間には、歴然とした違いがあります。物質の集合体である人間と、同じく物質の集合体である太陽のひとかけらをエネルギー発生率という立場から比較してみましょう。

みなさんもご存知のように、平均的な大人が、生きるために、食物摂取によって体内に取り入れるエネルギー量は２０００数百キロカロリー前後です。ワットに換算するとおよそ１００ワット、五人集まれば、ご飯が炊けるほどのエネルギーです。

そこで、大人一人の体重と同じくらいの太陽のひとかけらに着目して、その部分が発生しているエネルギーを計算してみると、なんと０・０１ワット、同じ体重あたりで比較すれば、人間は、太陽の１万倍のエネルギーをつくり出し、消費している、ということになります。

これが、生物と無生物との違いです。この特異性は、生物を構成しているたくさんの物質は、たがいに複雑に絡み合い、情報を交換し合って、新しい高度なシステムをつくり上げていることから生まれるものです。おおざっぱな言い方ですが、デジタルからアナログへの変容だともいえるでしょう。

確かに、それら要素物質の一つ一つは、単純な「オン」「オフ」の選択動作をするだけですが、膨大な集合体になると、全体のシステムとして、きわめて微妙な変化に対応できるようになるわけで、そこから生まれるのが、生物の感覚です。

デジタル一辺倒で自動化全盛へとひたすら走り続けるこの時代に、ふと立ち止まって現代のデジタルからは程遠い生物の不思議さに目を向けることは、人間であることへの安堵《あんど》感のようなものを感じます。

ところで、二〇〇八年十月、写真の世界でのアナログ、つまり「銀塩フィルム」を見直そうという、おだやかな作品展が東京のギャラリーで開かれ、そこで、お話をする機会に恵まれました。六本木という場所柄のせいか、有料にもかかわらず、立ち見の聴講者で溢れるほどの反響に驚きました。

そもそも、フィルム写真というものは、撮影、現像、プリントといった一連の操作の結果、初めて撮影者の目にふれる性質のものです。しかも、原板が同じであって、同じような処理をしたとしても、決して同じ仕上がりにならない、そのとき限りのプリントしかできないという単発性と、それぞれのプリントは、セピア色に褪《あ》せながら「時」を刻み込んでいくわけですから、それを見る人の人生と重なっているかのように感じられるところに、多くの人たちを引きつける魅力があるのでしょう。

それらに加えて、物理学の視点からいえば、銀塩フィルムの感光物質となる粒子は、まったく「でたらめ」に塗布されていますが、デジタルの光センサーは、規則正しく網目のようにつくられています。その規則性は、外から入ってくる光を分光器のように、屈折、干渉させ、通常、肉眼では見えていない色、つまり「擬色《ぎしょく》」を新たにつくり出してしまいます。もちろん、銀塩フィルムでも、天体などを撮ると、可視光以外の光まで写し取ってしまうこともありますが、その映像は、あくまでも、実際に見えている映像の延長線上にあります。

ところが、デジタルカメラの場合の「擬色」は、まったく唐突です。それらの欠点は、銀塩フィルムでは、赤、緑、青という三つの色が、微妙に混ざり合うことによって、中間色を含めた自然の色を表現できるのですが、デジタルは、いくつかのすでにでき上がっている色そのものの組み合わせで画像にするという方法ですから、どうしても、人工的な発色になります。

それにひきかえ、アナログカメラの素晴らしさは、「でたらめ」に存在する感光粒子が、みんなで協力し合って、ほどよい加減をつくるというところにあります。私が永年愛用してきた古い35ミリフィルム用のカメラ〈ライカ〉が写し撮る映像のしなやかさは、比較的広い光の領域を万遍《まんべん》なくすくいとるレンズの独特の性能と相俟《あいま》って、ほんとうに素晴らしいものでした。

しかし、世の中の趨勢《すうせい》から、今まで使っていたフィルムが製造中止になり、入手ができなくなったことや、別のフィルムであっても、きちんとした現像所が近くにはなく、撮影済みのフィルムを毎回、専門のラボに、郵便で送らねばならないという状況に耐え切れず、ついに、大枚をはたいて同じ〈ライカ〉のデジタル（Ｍ８）にしたところ、それは、まったく使い物にならないとんでもない代物でした。

太陽光を受けて光る被写体が、ことごとく真っ赤に写るのです。岸壁に打ち寄せては飛び散る真っ赤な波しぶき、岸辺で優雅に遊ぶ真っ白な白鳥の横できらめく、真っ赤な湖水の照り返し。なにか、ぞっとするような風景です。

残念ながら、このＭ８という最高機種のライカには、かつて、世界最高の技術と美的センスを誇ったドイツの名品〈Ｍ型ライカ〉の面影《おもかげ》は、どこにもありません。

しかも、本国に送っても、それはカメラの特性だといって送り返され、輸入元にいえば、「ドイツ人は頑固だから、クレームをつけても、難しいでしょう」との返事が戻ってくるだけです。

たしかに、他のカメラのように、撮像素子の前に「ローパスフィルター」がつけられてないために、ピントのシャープさは抜群ですが、だからといって、撮影可能な被写体を選ばなければならないというのは、カメラとしての機能を放棄しているとしか思えません。〈ライカ〉もまた、他のドイツ製万年筆などと同じように、名前だけのブランド品への道をたどっているようです。

かつて、ドイツの文豪ゲーテが、名作『ファウスト』のなかで、「時よ、止まれ」と主人公に言わせる場面を書いていますが、まさに、その主人公のような気持ちになるのは、私だけではないでしょう。

★虚構のノイズ

とはいってみても、デジタルがもつ能力には、目を見張るものがあります。撮影枚数を気にしなくてもよいことや、この加速された世情のなかで、撮影者にとってありがたいことは、撮影後に直ちに結果が見られること、それを簡単に伝送できることなど、これはアナログにはない、すさまじい能力です。

実はこの状況は、音楽の演奏をデジタル処理したものとアナログ処理したものとの再生音の違いを思い起こさせます。たとえば、ＣＤを半導体素子のアンプで再生した場合と、ＬＰレコードを真空管アンプで増幅した場合の再生音の違いです。

かつて、あるレコード会社の協力を得て、カール・ベーム指揮、ウイーン・フィルハーモニー管弦楽団の演奏によるモーツアルトの『レクイエム』を、同じマスターテープからＣＤと、ＬＰとに落として聞き比べをしたことがあります。

その差は歴然としていましたが、もっとも顕著だったのは、第五曲「ラクリモーサ（涙の日）」の終結部を力強く、しかも、もっとも美しい合唱で締めくくる「アーメン」の部分でした。

つまり、「すべての合唱団員が後ろ向きで歌っているとしか思えない」再生音が、このときのＣＤだったのです。

もちろん、デジタル録音には、アナログレコードでは避けることのできない針のスクラッチノイズなどは皆無ですが、音場の奥行きが感じられないのです。考えてみれば、音響であっても、映像であっても、われわれが日常接している世界には、必ずノイズが伴います。自然界の特性でもあるノイズを除去した世界は、実は、虚構の世界だともいえるでしょう。この場合、デジタル技術にも、確かにノイズは存在しますが、それもまた、「虚構のノイズ」だということを忘れるわけにはいきません。

その一方で、ＣＤやＤＶＤなどのデジタル音源は、コンパクト性や、頭出しなどの点においては、抜群の能力を発揮します。今までの技術革新の進歩を顧みると、デジタルのデメリットは、いずれかの時期には、デジタルによって克服される日がくるでしょう。先ほど、お話しした光の干渉によって生じる擬色（モアレと呼んでいます）も、なんらかのかたちで除去される日がくることは間違いありません。

ということは、ひとつの局面からだけ見て、すべて、デジタル一辺倒、あるいはアナログ一辺倒という姿勢が危険なのであって、両極の技術をうまく組み合わせながら、ほどよい調和を目指した技術開発にも力を注ぐことが、肝要でしょう。

デジタル技術の基本は、情報となる信号を、とびとびの値《あたい》に分割して処理するという量子化にありますが、自然界の姿は、「量子化されたモデルのアナログ的な確率現象である」ことを、肝に銘じておきたいものです。

ここでいう「確率現象」とは、自然界の現象を同じ大きさの、小さな要素に分解したものとしてそのまま合成するのではなく、何が起こりやすいか、何が起こりにくいのかということを確率的に考えて、全体の調和のなかで合成するということです。

そのプロセスが大切だということは、私たちがもっている生物の感覚そのものが、神経細胞というデジタル的なセンサーでありながら、どこか曖昧《あいまい》で、ぼんやりした感覚をもつということからも、うなずけます。

ここで、少しだけ、確率というものの考え方について、お話ししておきましょう。

たとえば、コインを無作為に投げたとき、表が出る確率は2分の1だといいます。これは、投げた回数のほぼ半分が表になるということを意味しますが、だからといって、二回投げれば、必ず一回は表が出る、ということではありません。統計的な話なのです。１０

００回投げれば、およそ半分の５００回は、表が出るだろうということであって、１００回投げて、１０１回目を投げたとき、どちらが出るのかは、闇のなかです。

デジタル現象の確率的現象は、まさに、アナログなのです。

たとえば、「おはよう」「こんにちは」という挨拶《あいさつ》が適当である時間帯を考えてみると、朝7時に出会ったら「おはよう」の方が適当で、大半の人は、「おはよう」というでしょう。しかし、出会った時間が11時だったら、どうでしょう。どちらかといえば、「こんにちは」という挨拶の方が多いかもしれません。では、9時半だったらどうでしょう?

このように考えていくと、「おはよう」と「こんにちは」は、歴然と違ったデジタル的表現ですが、それをどの時間帯に使うかとなると、とても曖昧になります。極端な例でいえば、出会った時刻が夕刻であっても、はじめて会ったときの挨拶は、「おはよう」であるという場合もあります。とても、アナログ的です。

つまり、デジタルかアナログかという二分法では片付かないのが、この世の中なのです。前にも、お話した「中庸《ちゅうよう》」の精神が大切なのです。

これも、宇宙そのものの構造は、相反《あいはん》する性質のバランスからできている、ということの反映だと考えていいでしょう。

★「ゆらぎ」で補う目の驚異

さて、私たちの目は、入力情報に含まれる雑音を、網膜《もうまく》の細胞を揺らがせることによって平均化し、除去する能力をもっています。

それは、粒子としての光の粒、光子（フォトン）の衝突が織り成すデジタル的な信号を、神経の統計処理によって、うまくアナログ化しているということです。

つまり、自然界の雑音には偏《かたよ》りがなく、いろいろな大きさのものが均等に含まれていますから、時間的に平均すれば、雑音はたがいに打ち消しあって消失します。たとえば、天体望遠鏡で撮られた惑星の写真などは瞬間の像を切り取るので、空気の揺動などによる「ぼけ」を回避することはできませんが、肉眼視では、各瞬間の映像が平均化されて、それが残像という「ぼかし」のメカニズムによって、逆に鮮明に見えるのです。これは、神経の伝播速度の遅さがもたらす、重ね合わせのメリットです。

また、皆既《かいき》日食では、太陽の外側を取り巻く高温の大気、コロナの詳細が、明るい部分から暗い部分に至るまで、肉眼でははっきりと見ることができます。その明るさのグラデーションの大きさが、恐ろしいほどの神秘的な光景をつくっています。

しかし、その光景を、一回の撮影で写真に写し撮ることはできません。これはアナログ、デジタルを問わず、露出時間に適合した明るさのコロナしか記録できないからです。もし、カメラがデジタルであれば、なおさら、露出の許容度は少なくなりますから、難しくなります。

デジタルカメラの撮像素子は、フィルムの場合よりも光や色の感度についての許容度が極端に小さいのです。そのために、デジタルカメラでは、白い被写体を白く写しこむような調整機能が必要で、「ホワイトバランス」と呼ばれています。通常の撮影では、「オート」というプログラムを選択すれば、カメラが適当に自動調整をしてくれますが、複雑な照明や壁からの反射光などが入り混じった室内撮影などでは、カメラの自動処理が追いつかず、忠実な色表現は至難の業で、フィルターをつけてみたり色温度の測定が必要になったりで、大変です。

こうして考えてみると、それらの処理を一瞬にやってのける人の眼の精巧さには驚かされますね。

望遠鏡越しに見える天体の像は、空気のゆらぎで、ふわふわ動いている場合が多いのですが、写真に撮ると、ぼけ方がひどくて、細部の識別はできません。

しかし、目で直接見ると、視神経が像のゆらぎに合わせるようにゆらいで、視覚的には、はっきりと見えるのが通例です。先ほどお話ししたとおり、残像を重ね合わせながらノイズを平均化して除去しているからです。これも、神経細胞を通して入ってくるデジタル信号を確率的な統計処理をして、アナログ化しているのです。

このように、人間の目は、幅広い領域を一瞬にして認識できる能力をもっています。「自然の最高傑作」としての人間の姿です。

★「いいかげん」を「好い加減」に

ところで、人間は個としての存在意識を強くもっている生物ですが、その一方では、他との共存、あるいは他への依存なしでは生きられないという両面をもっています。

その「他とのほどよい共存」の智恵が、実は、日本の江戸時代の社会にはありました。他者との譲り合いを通して生まれるエコライフの原型です。それは、典型的な循環型の社会で、たとえば、衣服は簡単な縫製で、つくり替えも容易で、使えなくなったものは古着市場で再利用されていましたし、食は、旬《しゅん》のものを材料にして必要量だけをつくり、あとは、つくり置き可能な処理をして、無駄を出さないようなシステムでした。

そういった意味からすれば、かつての日本は循環型社会の先進国だったともいえます。もちろん、当時と現代では、文化の質が大きく変わっていますから、それをそのまま、というわけにはいきませんが、現代にいかす智恵は江戸時代のなかにもあったというわけです。たがいに、物資を融通しあい、いわゆる「もったいない」の精神のなかで、江戸文化は花開いたのでした。

しかし、その一方では、たとえば、ネズミたちを狭い籠《かご》のなかで過密状態で飼っていると、たがいに殺しあい、メスのネズミは流産したり、オスは同性愛に走ったりすることが実験で確かめられています。人間も、『人間動物園』という著作を書いた動物学者デズモンド・モリスにならえば、生物学的には「裸のサル」ですから、もし、過密状態におかれると、それと同じような事態に陥る危険性を充分にはらんでいて、ある程度、孤独な環境でないと、正常な生活が送れないといった面も、もっています。

ひとりでは生きられず、かといって、多くの人たちがひしめいている環境でも生きられないという、なんとも、身勝手な生き物のように思えますが、実は、これも自然界の根源的性質なのであって、すべての存在は、対極の性質のバランスのなかでしか存在できないのです。人と人とのおつきあいでも、ほどよい「距離」が必要です。古代中国の『荘子』

にもある「君子《くんし》の交わりは淡《あわ》きこと水の若《ごと》し」、すなわち「淡交《たんこう》」も、ほどよい加減の交わりを意味しているのでしょう。

さて、物理学の世界に目を向ければ、たとえば、月が地球の周りを回っているのも、公転による遠心力で、地球から離れようとする力と、逆に地球が月を引き寄せようとする引力とが釣り合っていることの結果です。

この二つの力が、「好い加減」に働いているからこそ、今の状態が実現しているのです。これを「いいかげん」と書いてみると、ニュアンスが違ってきますが、前にお話しした「過大」と「過小」との両極の正しい中間は、質的に次元の異なる新しい価値を生み出すとする古代ギリシャの哲人アリストテレスの「中庸」に近い状況だともいえるでしょう。

薬効の異なる二つの薬を混ぜると、まったく新しい薬効の薬になってしまうということを「シナージー効果」といいますが、この「好い加減」の気持ちが、狭い専門領域にとどまることなく、広い分野にまで視野を広げることによって、今までにはなかった新しい、より豊かな発想を生み出すことができるきっかけになることは、間違いありません。

★「誤解」もまた当事者にとっての「真実」である

ところで、「考える」ことができる人間に備わった能力に、「直観」があります。これは、これまで体験してきたいろいろの出来事の重ねあわせから生まれる、人間特有の能力です。その人本人が、意識しているか、していないかにかかわらず、今までに獲得した情報が脳の内部で蓄積され、整理されて、たがいに絡み合いながらネットワークを形成して、超大型スーパーコンピュータも及ばないような、複雑な判断を瞬時にして行なう特殊な能力です。

それは恐らく（これまで何度かお話ししてきたことですが）、自然界の根源的性質である「最小作用の法則」に集約されるように、たくさんの可能性のなかから、そのときにいちばん効率がよく合法的だと判断される方法を、無意識のうちに選ぶということでしょう。

ところが、生活経験が偏《かたよ》っていたり、同じような事態にばかり直面してなれっこになっていたりすると、自分でも気づかないうちに偏った判断に陥り、「直観」が暴走します。研究者によるデータ捏造《ねつぞう》も、捏造意識がなかったとしても、思い込みによって結果として、捏造に走ってしまうということも充分にありうることです。

これが、犯罪捜査の場合には、さらに顕著になり、最初に「直観」による白か黒かの判定があって、あとで肉付けするというパターンが横行することになると、大変なことになってしまいます。世情によく見られる、異常な思い込みによる攻撃性も、その典型です。相手方の「していない」というその一言が、「したからこそ、していないと主張している」に変貌します。「直観」という能力がもつ二面性です。

ところで、この「直観力」をブラッシュアップするいちばんいいトレーニングは、子どもとの対話であると、最近になって強く感じています。

ここ数年、小学校への出張授業や、地域のためのレクチュアコンサートなどで、子どもたちと直接、話をしたり、リコーダーとピアノ、あるいはオルガンとのコラボレーションをする機会が多くなりました。そこで、いつも私を驚かせるのが、子どもたちのすっとんきょうな発想です。

それは、私たち大人には思いもよらない豊かな想像力に満ちた発想で、一見すると、非現実的で、あまりにも飛躍しているかのように見えても、実はそのなかには、斬新な論理に裏打ちされた内容がたくさんつまっている場合が、少なくありません。

恐らく、彼らの生活総時間は大人に比べると短いので、すべての体験が新鮮なものとして受け取られていて、そのまま素直に受け入れるという姿勢が、奇想天外な発想を生み出すのでしょう。

その一方で、私たち大人は、日々の生活体験を重ねていくうちに、膨大な経験のなかから自分に都合のいい部分だけを抽出して、そこに思考の枠組みを固定してしまっています。裏を返して考えてみれば、子どもの発想が奇想天外だと感じること自身が、私たち大人の感覚の偏りが原因であるともいえるでしょう。

私たち大人は、すべての現象を、これまでの自分の経験を元に分析し、そこで得られたことを「真実」だと判断します。しかし、この場合、「真実が必ずしも真理であるとは限らない」ことに留意する必要があります。

これは、歴史を考えるときにしばしば問題にされる、「史実と事実は別物である」ということに似ています。

そこで、「真理」であるための条件とは、普遍性であり、この普遍性とは、時代や場所、あるいは人種、国などをこえて、いつも同じ評価が与えられる内容をもつことです。

私たちは、一つの出来事に対して、それぞれの立場から異なる評価を下し、その結果、たがいに「誤解している、誤解されている」といって落ち込みます。しかし、重要なことは、「『誤解』もまた当事者にとっての『真実』である」と認めない限り、解決には至らないということです。

小鳥は、卵から孵《かえ》って、目の前に動くものがあると、それを親であると認識し続けます。サルや人間も同様ですが、小鳥との違いは、生後の生活経験を重ねていくことによって、認識の補正ができることです。しかし、それにはかなりの時間が必要です。

たとえば、初対面の印象は、およそ15秒で決まるといわれていますが、それを修正するには、その何百倍もの時間が必要です。ということは、「誤解」は話し合いによって直ちに氷解するようなものではないということです。なぜなら、「誤解」だと評されることであっても、その時点の当事者にとっては、「真実」だからです。ここに、「思い込み」や、（「直観」ではない）「直感」の怖さがあります。

私たちは、「この世のすべてのものが、原子という目には見えない、小さな粒々からできている」と信じていますが、「原子の一粒をつかみとった」という人は、どこにもいません。

しかし、ある現象を説明するのに、私たちが日常、目にしている粒子のようなものから世の中ができていると考えることによって、うまくつじつまがあえば、「世の中は原子という粒からできている」と表現してもいいわけです。

たとえば、水のなかに一滴のインクを入れたとします。次第に溶けて、インクの所在は分からなくなりますね。このことから、水とインクは小さな粒々からできていることが推測されます。また、赤と白に塗り分けられたテニスボールを籠に入れて混ぜ合わせようとしても、なかなか混ざりませんが、もし、それが、二色の雛あられであったとすれば、すぐに混ざり合うでしょうし、さらに、容器を激しく振り動かせば、もっとすぐに混ざり合うでしょう。このような日常体験から、水もインクも、小さな粒からできていて、激しく動いていると考えれば、合点《がてん》がいくということになります。

このように、「誰でもが認めることができる真実」があって、それが、「真理」につながっていきます。

私たちの日常生活は、〝誤解の海〟のなかにあります。ということは、そこには、百人百様の真実があるということです。

となると、「誤解」を解くには、それが「相手の真実」であると認めた上で、相手の意思で認識の修正ができるまで辛抱強く待つしかありません。それが、「クレメンティア」つまり「寛容」ということの意味です。真理はその誤解をこえた先に存在するのでしょう。

　これまで、宇宙に存在するすべてのものは、反対の性質のバランスにおいて、存在しており、それゆえに、すべてのものごとには、関連した表と裏があること、そしてそれらを上手に調和させて、「中庸《ちゅうよう》」をとることが、豊かな未来につながるというお話をしてきました。

　ここで、表と裏に関して、面白い例を紹介しておきましょう。

　私たちが普通、「顔」といっている部分は、二つの相反《あいはん》する役目を担っています。一つは、「目には見えない心を表す場所」であり、もう一つは、逆に「心を隠す場所」でもあります。うれしさを表出するのも顔であり、場合によっては、悲しみを隠すのも顔の役目です。顔のことを「面（オモテ）」ともいいます。一方、心の様相を示す古い言葉の接頭語が、たとえば「うら悲しい」の「うら」であるというように、「ウラ」を「心」だとすれば、まさに、「オモテ」と「ウラ」の対応がつきます。

★「月を知ること」は「地球を知ること」

それでは、ものごとには両面があって、たがいに共存しているということをお話ししてきたこの章の最後に、再び、第1章でとりあげた月のお話をして（音楽の形式でいえば、「ソナタ形式」ですね）、全体を締めくくりたいと思います。

第1章でお話したように、月は、地球に大きな星が衝突して、そのかけらからできた天体ですから、両者は、ちょうど姉妹のような関係にあるということをお話ししてきました。しかし、月と地球の間には、大きな違いがあります。月には空気もなく、生物もいません。この違いは、どこからきたのか？　違っているのならば、それぞれ、独自の道を歩いてきた理由はどこにあるのか？

そんな疑問に答えることができる新たな情報を提供してくれているのが、日本の宇宙航空研究開発機構（ＪＡＸＡ）が二〇〇七年九月一三日に打ち上げた月周回科学衛星〈かぐや〉の活躍です。二〇〇八年一〇月から、ハイビジョンテレビカメラなどを通して、毎日のように、地球にデータを送り続けています。

第1章では、月のクレーターが、星の衝突によってできたことをお話ししました。実は、月には空気がありませんから、天候などというものがなく、そのために、クレーターは、できた当時のままの状態で残っています。そこで、クレーターの大きさの分布を調べてみると、今からおよそ40億年前に、大量の星がぶつかっていたことが判明しました。

ところが、この時代にできたと思われる月のクレーターの大きさの分布は、現在、地球上から観測できる小惑星の大きさの分布と、とても似ていることが分かったのです。

みなさんもご存知のように、小惑星というのは、火星と木星との間に存在する小さな星たちです。隕石《いんせき》として時折、地球にも降ってくる星たちです。

そこでもし、月にも、これだけ大量の小惑星が降り注いでいたとすれば、そのころの地球にも、当然降り注いでいたでしょう。ところで、小惑星の主成分は鉄ですから、それが、地上に激突すると、瞬間的には数千度の温度になり、そこで、鉄と、地球の原始大気が反応して、命の元になるアミノ酸ができた可能性も出てきました。

月に生命が生まれなかったのは、原始大気や水がなかったためですが、〈アポロ17号〉が採取した「オレンジソイル」と呼ばれる〝月の砂〟からは〝水〟の痕跡が発見されていて、さらに、月周回衛星〈かぐや〉が探査したオレンジソイルの分布からは、初期の月には、かなりの水や大気があったことが分かってきました。月は、地球から分かれてできた姉妹ですから、水や大気があってもおかしくないのですが、それは、月の大きさが地球に比べて小さかったために、それらを引き止めるだけの引力をもつことができず、地球とは、違った運命をたどってしまったのです。

それでは、どうしてこの時期に、大量の小惑星が衝突してきたのでしょうか？

その原因は、木星にあると考えられています。この時期、木星の動きが、少しだけずれたために、引力のバランスが崩れて、月と地球に、小惑星が降り注いだと考えられています。ということは、今、地球に小惑星が降り注いで、地球生命の存続を脅かす事態にならないのは、木星が守ってくれているからです。

このように、私たちの運命のすべては、宇宙の手のなかにあるということなのですね。

そのほか、「なぜ月が、地球からは同じ面しか見せないのか？」という理由についても分かってきました。それは、〈かぐや〉の月面周回高度を地球から観測してみると、一定ではないことから、地球に向いている面の方に重い物質が偏って存在しているらしい、ということが分かったからです。

ここでとても面白いのは、〈かぐや〉が地球から見て、月の裏側を回っているときには高度な観測情報が来なくなりますが、実は、〈かぐや〉は、〈おきな〉と名づけられた小さいリレー衛星を連れていって、それを切り離し、〈かぐや〉が月の裏側にいても、通信が途絶えないように橋渡しをするという画期的な手法をとっていることです。〈かぐや〉と〈おきな〉、いかにも日本らしい素敵な命名です。

ところで、〈かぐや〉の周回高度が一定ではないということは、場所によって、月の引力の強さが違っていることを意味します。それは、小惑星の衝突によって加熱された月のなかのマグマが、地球の引力で、地球の方に引っ張り寄せられ、そのまま、地球の方に月の体重の重心がずれて回ることになってしまった、ということのようです。

さらに、月の表面には、日本では「ウサギが餅《もち》をついている」という民話になっている黒い模様があります。これは、地下から噴出したマグマがクレーターを覆い隠した平原のようなところのことで、月の裏側にはありません。これも、地球の引力が関わっていることの証拠になっています。

そのほか、地球の自転軸が、公転面に対して傾いていることは、すでに第1章でもお話ししたとおりですが、もし、月がなかったら自転軸は安定せず、そうなると、季節の変動が、まったく不規則になりますから、地球環境の変化はきわめて激しいものになり、今日のような環境はもたらされなかったでしょう。

さらには、月がなかったら、これも第1章でもお話ししたように、地球の自転が速くなりますから、毎日が暴風雨で、とても、現在のような姿かたちをした生物は存在していなかったでしょう。

このように、月は、同じ地球から分かれてできた天体ですが、おたがいに影響を及ぼしあいながら、共存しているのです。しかも、生物がいない月が、地球上の生物にも影響を及ぼしているということも、見逃せません。ウミガメやカニの産卵は、満月のときに起こるそうです。

少し話は飛躍しますが、草木染めの人間国宝、志村ふくみさんから、「藍《あい》がたつのは、なぜ満月の夜なのか」という宿題を頂いていて、いまだにお答えできずにいるのですが、月が地球上のいろいろのことに及ぼす影響は、数えきれないほどたくさんあります。

つまり、「月を知ること」は、「地球を知ること」でもあるわけです。

このように、月を調べることからだけでも、星の激突が地球上に生命をもたらし、その一方では、今から6500万年前の小惑星の衝突が、当時、地球を支配していた恐竜たちを絶滅に追い込んだことが分かるように、ひとつの出来事には、すべて対極的な両面があるということです。

宇宙は、とても公平にできています。公平でなければ、存続できないのが、自然の法則です。

私たちの人生も同じことです。見方によって、その価値はいかようにでも変わります。逆転さえもします。私たちには、「心」というものがあるために、喜びも悲しみもあるのですが、また、「心」があるゆえに、それを喜びにも、希望にも変えることができるということでしょう。

私たちは、未来が分からないといって、不安にもなりますが、逆に、未来がはっきりと見えないからこそ、怖がらないで生きていけるということでもあるのでしょう。すべては、「心」の持ちよう次第であるといっても、言い過ぎにはなりません。

どうか、現実を、まるごと受け入れることから、私たちの未来は開けます。すべての出発点は「寛容」、「クレメンティア」のなかにあります。

おわりに

今から半世紀ほど前、理学部の原子核研究室には、若くて美しい女性のスタッフがつめていて、来る日も来る日も、顕微鏡で、ガラスの写真乾板を精査している風景が、いつも見られました。

これは、当時、宇宙の彼方から降り注ぐ宇宙線とよばれる放射線、実は、その正体は、遠く銀河系のなかで終焉を迎えて大爆発した〝星のかけら〟などから成る原子核なのですが、それらが、ガラスの表面に塗布してある感光材料の乳剤と反応してつくる飛跡を、調べていたのです。

つまり、目には見えない小さい粒子の足跡が、写真乾板の上に黒い線になって記録されていました。これらの写真乾板は、原子核乾板と呼ばれていて、大きな気球の下につるされ、成層圏まで上がったところで、回収されます。この乾板が現像されると、粒子が突き抜けた痕は、先ほどお話ししたように、黒い線になって写し撮られるのですが、宇宙線の粒子は、いろいろな方向からガラス乾板に突入しますから、その飛跡を追うためには、顕微鏡のレンズを動かしながら、ピントをずらして、乾板の厚みに沿っての追跡も必要になります。ときおり、ひとつの黒い線が、二本に分岐していたりするのが見つかりますが、これは、原子核が走ってくる途中で、分裂して、二つの粒子に分かれた軌跡なのです。そこで、写し撮られた黒い線の太さや密度から、そこを通った原子核の大きさや電荷量などを推測して、解析する方法がとられていました。

今から考えても、細心の注意力と忍耐力が求められる気が遠くなるような仕事で、研究を支える裏方の重要な作業でした。私も、学生実験で、何度か試みたことがありますが、とても根気がいる仕事で、ほとほと疲れ果てた経験があります。

この仕事を見事にやってのけるのが、女性の研究補助員でした。このことが、女性の協力なしでは、研究は一歩も進まないことを実感させられた最初の経験でした。

考えてみれば、ドイツ生まれの天文学者でもあり、すぐれたオルガニストとしても活躍したF・W・ハーシェル（一七三八〜一八二二）は、みずからの手で、当時としては、最大級の反射望遠鏡を建設し、２５００個の星雲、８００個の二重星などを発見したことで有名な人ですが、彼には、Ｃ・ルクレチア（一七五〇〜一八四八）という妹がおり、観測の助手として兄をサポートし、こまかいデータ整理を見事にやってのけた話は、よく知られています。恐らく、彼女のきめ細かい努力がなければ、２５００個にも上る星雲の分類を成し遂げることはできなかったでしょう。

　このように、世間一般の常識では、男性優位に見える自然科学系の研究分野のなかに、女性ならではの能力なしでは、なしえない分野があることを、研究者として、駆け出しのころから私は意識しており、それらに加えて、幼少時代に近所に住む年上のお嬢さんたちにかわいがられたという経験なども相俟《あいま》って、私にとっては、いろいろの意味で、特別の存在としての女性という意識がつねにありました。

　それは、如何《いかん》ともこえがたい光彩を放つマリアのような存在でもあり、その一方では、侵すべからざる秘密の花園の女王でもあり、かと思えば、歌舞伎の道成寺《どうじょうじ》に見られるような妖艶《ようえん》で、しかも、極めておどろおどろしい魔性《ましょう》としての存在、そして、古いドイツの民話のなかに登場するような、可憐《かれん》で、しかも最後は、水の精として、すべてを飲み尽くしてしまう恐るべき存在としての女性など、すべての複合体として女性です。

ところが、近年の分子生物学の研究成果によれば、宇宙が最初につくったのは、女性であり、性の源は女性であることが明らかになりました。しかも、女性と男性との間の知的能力には、まったく差はないことが分かり、ただ、両者では、人類の進化のプロセスのなかで育まれてきた考え方のパターン、あるいは情報処理の方法の違いによって、同じ仕事をこなす場合の差異が見えてくるらしいことも、次第に明らかになってきました。

そういった風潮のなかで、東京の音楽系、芸術系の大学が集中する静かな町の一角にある小さなカフェからの要望で、「女性のための宇宙講座」を開講してほしいという要望があり、その講座が予想以上に好評だったことが本書の誕生のきっかけになり、その講義の中心的テーマが、本書の題名になりました。

そこで、この題名だけを見ると、いかにも、女性礼賛《らいさん》の本であるかのような印象をおもちになった方もいらっしゃるかもしれませんが、内容は、あくまでも、男性と女性、両性あっての人間という中立の立場から、両者は、たがいに補い合う存在であることを、いろいろな場面からお話ししてきたつもりです。

それは、男女共同参画とか男女雇用均等法などというようなことが叫ばれている現代において、けっして埋めることのできない性差を、人類誕生から進化までのプロセスを考えながら、「たがいに相手を必要とする、異なった存在としての二つの性」であると捉《とら》えることによって、より豊かな社会が創出できるのではないかという、ささやかな希望があったからです。

たとえば、最近の脳科学の研究によれば、恋する男女の脳を調べてみると、その活性化している部位が違うのだそうです。男性は、視覚を司《つかさど》る分野であり、女性は、記憶に関わる分野です。それは、男性は、女性の体型などから子育てに適しているかを見極めるための視覚を、女性は、子育ての支援をしてくれそうな男性であるかどうか、いずれも、過去の記憶をたどりながら見極める、という必要性からの結果なのだそうです。

あるいは、子育てをするには、子どもの状況を的確に観察し、それらを集積して、経験を積んでいく必要が不可欠だったからかもしれません。また、ストレスに強いのも女性ですが、それは、授乳を円滑に行なうには、外部からのストレスに対して抵抗力をもつ必要があり、その一方で、男性はストレスが加わると、容易に心拍数、血圧を上げて、戦闘体制に入るのだそうで、これは、子育てに関わる女性と、狩猟に出る男性との役割分担からくる違いなのだそうです。

そこまで分かってくると、女性と男性がたがいに理解を深め合い、協力し合って、豊かな生活をつくりあげていくためには、どうしたらいいかという方法も見えてきそうです。ほんとうの意味での男女共同参画は、そこを踏まえた上でのことであり、そこから見えてくるのが、宇宙進化の視座からみた男女の役割の話です。

さて、最新の宇宙研究の成果から分かったことは、おおまかにいって三つあります。

一つには、すべては、今から１３７億年の遠い昔に、ただ一粒の限りなく熱い光の粒から生まれたこと、二つには、だからこそ、すべては、たがいに関わり合っていること、そして、三つ目は、異なる存在が安定し続けることができるためには、対極の性質が、バランスして共存していなければならない、ということです。

女性と男性という二つの性が存在していることも、その表れなのだということは、本文のなかでお話ししたとおりです。ここで、理解を深めるために欠かせないことが、コミュニケーションです。それは、言葉のみならず、人間の五感すべてを使ってのコミュニケーションですが、そのなかでも、宇宙進化のひとこまとして出現した私たちという観点から見れば、もっとも原初的なコミュニケーション手段は、「音」であり、「言葉の前に音があった」ことも明らかになっています。

そんな想いもこめて、音楽とは何か、という話題についても、簡単な楽曲分析などを含めて、お話ししてきました。しかし、専門的なところにまでは、私が音楽については素人であるということもあり、さらには本書の性質上、踏みこめませんでしたので、さらに、詳しく知りたい読者のためには、いくつかの文献を、巻末にしめしておきます。

さて、本書をしめくくるにあたって、新しくつくられたバラとの出会いがあったことをお話ししておかねばなりません。

このバラは、花弁のオモテとウラがはっきりと、赤、白に分かれている新種のバラですが、相対峙《あいたいじ》する両者の色の違いが、単に、赤と白の組み合わせという意味をこえていて、いうなれば、この二つの色がそれぞれの個性を保ちながらも微妙に溶け合って、まったく新しい美しさを生み出していました。そして、このバラに、「ステラ・ポラリス」という命名をさせていただく機会にも恵まれました。

この名前は、元々ラテン語の“Stēlla Polāris”（北極星）と、ステラという女性名を重ね合わせた連想から、思いついたものです。つまり、本書のタイトルにもなったように、宇宙の中心はまず、女性であり、そこから誕生した男性と力を合わせ、それぞれの個性を保ったまま、たがいに浸透し合い、豊かな人間世界をつくり上げていくという姿勢を、このバラは象徴しているかのように思ったからです、

それでは、本書をお読みくださったみなさんの心に、ほんの一瞬でも、やすらぎの灯火が点《とも》ることがあれば、それは、望外の幸せです。

最後に、私の連載の愛読者でもあり、ことあるごとに講演にも来ていただき、その内容を一冊の単行本にまとめることを強くすすめてくださり、その上で、日ごろの雑務に押し流され、思うように執筆が進まなかった私を、温かく見守り続け、励ましてくださった、春秋社の松澤隆氏に心からの御礼を申し上げます。

佐治晴夫

著者にとっては、専門外の音楽理論や生物学について、有益な助言が得られた書籍の一部を、以下に示しておきます。

[1]川辺真著『音符と鍵盤でおぼえるわかりやすい楽典』（音楽之友社）
鍵盤の絵と対照させながら、楽典の基礎を学ぶことができる（初級）。

[2]青島広志著『やさしくわかる楽典』（日本実業出版社）
普通の読み物の感覚で、音符の読み方から楽典の基礎、オーケストラの総譜の読み方まで、知らず知らずのうちにいざなってくれる（初級）。

[3]池辺晋一郎著『おもしろく学ぶ楽典』（音楽之友社）
会話形式で書かれているために、読者は考えながら読むことができ、伴奏づくりの初歩まで学ぶことができる（初級）。

[4]中田喜直著『実用和声学』（音楽之友社）
旋律に美しい和音をつける方法の習得を通して、楽典の基礎から作曲技法入門までが学べる（中級）。

［5］島岡譲著『和声のしくみ・楽曲のしくみ』（音楽之友社）
和声の基本的な文法から簡単な楽曲分析の手法をとおして、音楽の深い理解への足がかりとなる（上級）。

［6］福岡伸一著『できそこないの男たち』（光文社新書）
分子生物学者の著者が、かなり専門的な立場からやさしく性差を論じた力作（中級）。

49
はっぱがささやくように
53
ちい さ な はっ ぱ の あ か ちゃ ん は
57
おっ ぱ い の ん で ね ん ね し て
61
rit. . .
ね ん ね し た ま に ふ と り ま す
pp

33
小鳥がうたうように
37
ひ る の お も り は こ と り た ち
41
み ん な で う た を う た っ た り
45
え だ に か く れ て ま た で た り

17
木の枝がゆれるように
21
「おっ き な さ い」 は か ぜ の や く
25
ひ が し の そ ら の し ら む こ ろ
29
ゆ すっ て お め め を さ ま さ せ る

葉っぱの赤ちゃん

詩　金子みすゞ
曲　佐治晴夫

19
cresc.
dimin.
22
22'
pp
24
poco
a
poco
cre
scen
27
do
f
dimin.
poco
a
30
poco
p
33
calando

PRÄLUDIUM

J.S.Bach

Allegro moderato

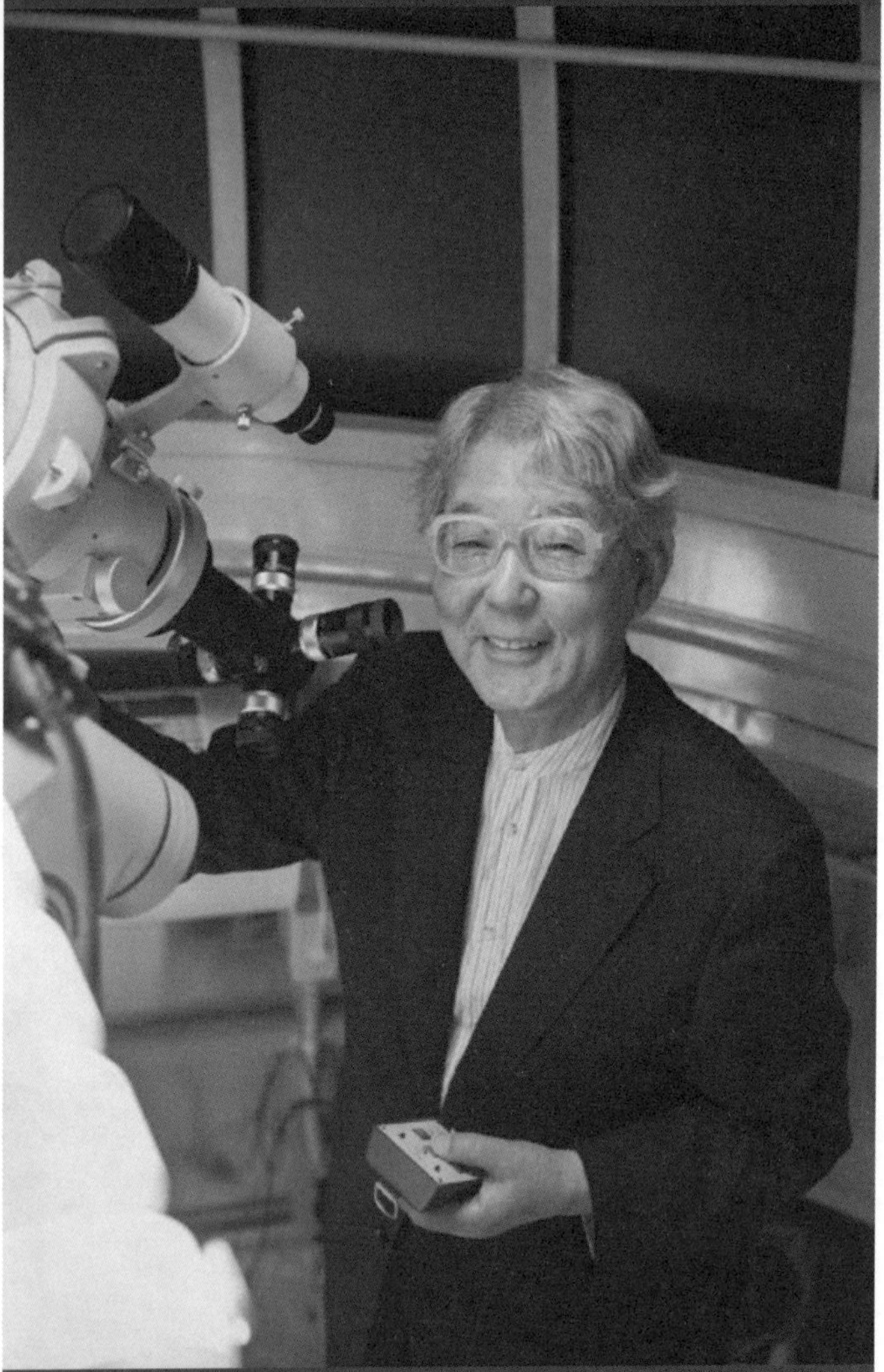

アトリエの庭先天文台にて

佐治晴夫 *Haruo Saji*

1935年東京生まれ。理学博士（理論物理学）。日本文藝家協会会員。東京大学物性研究所、玉川大学、県立宮城大学教授、鈴鹿短期大学学長などを経て、同短期大学名誉学長、大阪音楽大学大学院客員教授、北海道・美宙（MISORA）天文台台長。量子論的無からの宇宙創生に関わる「ゆらぎ」の理論研究の第一人者。現在は、宇宙研究の成果を平和教育へのひとつの架け橋と位置づけるリベラル・アーツ教育の実践にとりくんでいる。主な著書に『おそらにはてはあるの？』『夢みる科学』（玉川大学出版部）、『量子は不確定性原理のゆりかごで宇宙の夢をみる』（トランスビュー）、『詩人のための宇宙授業——金子みすゞの詩をめぐる夜想的逍遥』（JULA出版局）、『宇宙のカケラ——物理学者、般若心経を語る』（毎日新聞出版）、『からだは星からできている』『14歳のための物理学』『14歳のための時間論』『14歳のための宇宙授業』『14歳からの数学——佐治博士と数の不思議な1週間』『それでも宇宙は美しい！——科学の心が星の詩にであうとき』（以上、春秋社）『マンガで読む14歳のための現代物理学と般若心経』（赤池キョウコ氏との共著、春秋社）、『男性復活！——宇宙の進化と男性滅亡に抗して』（堀江重郎氏との共著、春秋社）、『この星で生きる理由——過去は新しく、未来はなつかしく』（KTC中央出版）、『続・宇宙のカケラ——物理学者の詩的人生案内』（毎日新聞出版）など多数。

本文中写真提供：佐治晴夫

女性を宇宙は最初につくった

2009年 3 月 3 日　初　版第1刷発行
2023年 7 月20日　新装版第1刷発行

著者——————佐治晴夫
発行者—————小林公二
発行所—————株式会社 **春秋社**
〒101-0021東京都千代田区外神田2-18-6
電話03-3255-9611
振替00180-6-24861
https://www.shunjusha.co.jp/
印刷——————株式会社 丸井工文社
製本——————ナショナル製本 協同組合
装丁——————河村　誠

ISBN978-4-393-36069-9
定価はカバー等に表示してあります

◆佐治晴夫の本◆

からだは星からできている 〈新装版〉 1980円	バッハを自ら弾きながら、宇宙誕生の瞬間に耳をすます……。親しみやすく、奥深い言葉で、科学・音楽・宗教の枠組みと新たな可能性を常に見つめ、発信してきた著者の集大成。
女性を宇宙は最初につくった 〈新装版〉 2200円	月を含む宇宙論と生命研究の最新事情を踏まえながら、「時間」の意味や、「男・女」の性差のほんとうの役割、そして「音楽」の価値について、やさしい語り口で問いかける。
14 歳のための物理学 1870円	数学、数式、物理学が苦手な人でも、著者のやさしい語り口と導きによって自然と計算する意味と楽しみが理解でき、人間と宇宙の原理の根底にある基礎的概念を獲得できます。
14 歳のための時間論 1870円	『14 歳のための物理学』の姉妹編。科学的発想を基に、著者ならではのやさしく温かい文体で、あらゆる角度から解明。「生きている今この時」の意味を再確認する感動の一冊。
14 歳のための宇宙授業 相対論と量子論のはなし 1980円	「無」としかいいようのない状態から、突如、まばゆい光として誕生した宇宙。このかけがえのない世界を記述する現代の科学理論の 2 つの柱をわかりやすく詩的に綴る宇宙論のソナチネ。
それでも宇宙は美しい！ 科学の心が星の詩にであうとき 1980円	この地球にあるものはみな星のかけら、星の子ども。われわれを圧倒する天体や量子のふしぎと文学や音楽が交差する、センス・オブ・ワンダーに満ちた魅惑の科学エッセイ。
14 歳からの数学 佐治博士と数のふしぎの 1 週間 1870円	「数学はソナタに似ている。」――科学の詩人・佐治博士が語る楽しくてわかりやすい数学の話。論理や集合から方程式、相対論やフラクタルまで中学生でもすらすら頭に入る！
マンガで読む **14歳のための現代物理学と般若心経** イラスト：赤池キョウコ 1870円	夜の暗さや光のふしぎと、人の喜びと悲しみ。科学の詩人・佐治博士がほのぼのしたマンガと素敵な文章で科学の世界から仏教の神髄へと駆け巡り、そっと教える宇宙と人生の秘密。

※価格は税込（10%）